프로젝트 관리 자격증 CAPM(Certified Associate in Project Management) 문제집

CAPM Power 실전문제 600

이두표 저

서 문

PMBOK 6판 기준 CAPM 문제집은 취업을 준비하는 대학생과 현재 직장인으로 프로젝트 관리자가 되기 위해 준비하는 분들이 쉽게 시험에 합격할 수 있도록 준비하였습니다. CAPM은 단답형 문제 위주로 출제되어 비교적 평이한 수준으로 문제가 출제됩니다. CAPM을 먼저 취득하고, 좀 더 실무 경험을 쌓은 후, 추후에 PMP 자격시험에 도전하는 것이 좋습니다. 이 문제집이 개인의 자기 계발과 더불어 지속적인 동기유발을 위한 자격증 준비를 위한 분들에게 많은 도움이 되었으면 좋겠습니다. PM은 Power를 가져야 하고, 힘을 가진 능력 있는 전문가입니다. 이에 CAPM Power 600제가 국제 프로젝트 관리 자격증인 CAPM(Certified Associate in Project Management) 취득에 많은 도움이 되었으면 좋겠습니다.

저자소개

청석 **이두표**

현) 올포피엠 대표

현) 아주대학교 공학대학원 겸임교수

현) 한양대학교 생산서비스경영 박사과정 수료

현) PMI Chapter Korea 이사

한양대학교 경영전문대학원 전략프로젝트경영 MBA

직장경력: 한국로버트보쉬, 대우자동차, 쌍용자동차

보유자격증: CMC, PMP, PMI-RMP, PMI-ACP, Prince2 Practitioner, Project+, ISO 9001/14001 선임심사원

출간도서(이두표)

- 열정은 혁신을 만든다.(2018년)
- 프로젝트관리의 이해(2018년)
- 제 4차 산업혁명에서의 스마트공장 구축프로젝트관리(2018년)
- 재미있는 프로젝트 이야기(수필)-(2017년)
- PMP Power exam 800제(학습서 겸 문제집)-(2015년)
- 아내에게 글로 보낸 선물(시집)-(2015년)
- PMP Power 실전문제 1000(2018년)

차 례

Part 1 실전 모의고사

핵심 요소 흐름정리

1

실전 모의고사

실전 모의고사는 각각 150제씩 4차례로 출제 되었습니다.

Warming up questions

01 5명의 이해 관계자가 있는 프로젝트의 잠재적 의사소통 채널 수는 얼마인가? : 한 가지 대답 표시

① 8
② 10
③ 12
④ 16

해설

의사소통 채널 구하는 공식 n(n−1)/2=5(5−1)/2=10

02 서비스나 결과가 아닌 프로젝트에서는 어떤 도구나 기법이 가장 효과적인가?

① 검사
② 차이 식별
③ 추이 분석
④ 제품 분석

해설

제품이니 제품 분석이 가장 효과적이다.

03 어떤 프로세스가 식별된 리스크가 전체 프로젝트 목표에 미치는 영향을 수치로 분석하는가?

① 리스크 관리계획 수립

② 리스크 식별

③ 정성적 리스크 분석 수행

④ 정량적 리스크 분석 수행

해설

수치로 분석하는 것은 정량적 리스크 분석 수행이다.

04 이해 관계자 참여 관리 프로세스의 산출물은 무엇인가?

① 변경 요청

② 기업환경요인

③ 이해관계자 관리계획

④ 변경 로그

해설

이해관계자 참여 관리를 하다 보면 이해관계자의 기대사항을 만족시키기 위해 이슈에 대한 변경 요청이 이루어진다.

05 기업과 특수 관계를 맺고 전문지식을 제공하는 외부 전문가를 무엇이라 부르는가?

① 고객
② 비즈니스 파트너
③ 판매자
④ 기능 관리자

해설

비즈니스 파트너는 주로 컨설턴트와 유사한 역할을 한다.

06 어떤 품질관리 및 통제 도구가 중첩 관계를 정의하는 체계적인 규칙 집합을 사용하는 분해 계층에서 부모-자식 관계를 시각화하는 데 유용한가?

① 연관 관계 그래프
② 트리 다이어그램
③ 친화도
④ 네크워크 다이어그램

해설

트리 다이어그램이 계층 관계를 이용하여 구현하는 가장 적절한 도구이다.

07 프로젝트 작업 지시 및 관리 프로세스의 결과물은 다음 중 어느 것인가?

① 활동 리스트
② 인도물
③ WBS
④ 요구사항 문서

해설

당연히 실행의 대표적인 산출물은 인도물이다.

08 프로젝트의 범위를 확인하는 데 사용되는 도구 또는 기법은 무엇인가?

① 워크숍　　② 인터뷰
③ 명목 집단법　　④ 검사

해설

범위 확인 프로세스의 대표적인 도구 및 기법은 검사이다.

09 변경 요청 및 그에 따른 결정을 관리하는 데 사용되는 도구 또는 기술은 무엇인가?

① 변경 통제 도구　　② 전문가 판단 델파이
③ 이슈 로그　　④ 마인드맵

해설

변경 통제 도구는 변경 요청을 처리 시 사용되는 대표적인 도구이다.

10 예산의 상당 부분은 일반적으로 프로세스 그룹에서 사용이 되는가?

① 착수　　② 기획
③ 실행　　④ 감시 및 통제

해설

실행에서 가장 많은 자원이 사용되므로 예산의 가장 많은 부분을 사용한다.

11 기획, 실행, 감시 및 통제, 프로젝트 종료에 대한 정보의 주요 원천은 어느 것인가?

① 프로젝트 헌장
② 프로젝트 범위 기술서
③ 프로젝트 관리계획
④ 요구사항 문서

해설

기획, 실행, 감시 및 통제, 프로젝트 종료에 대한 정보의 기준은 역시 마스터플랜, 즉 프로젝트 관리계획이다.

12 다음 중 프로젝트에 대한 설명으로 맞지 않는 것은 무엇인가?

① 프로젝트는 제한된 자원으로 제한된다.
② 프로젝트는 계획, 실행 및 통제가 된다.
③ 프로젝트는 독특한 제품 또는 서비스를 창출한다.
④ 프로젝트가 지속적이고 반복적이다.

해설

프로젝트는 유일하고, 일시적이고 자원으로 제약을 받으면서 계획, 실행 및 통제가 이루어진다. 반복적인 부분은 운영관리에 해당된다.

13 예산 결정 프로세스에서 프로젝트의 원가 기준선을 설정하려고 하려고 할 때 사용되는 도구 및 기법이 아닌 것은?

① 원가 합산
② 상향식 산정
③ 전문가 판단
④ 교훈 관계

해설

상향식 산정은 원가산정 프로세스에서 사용된다.

14 범위관리계획 수립 시 사용되는 도구 및 기법은?

① 문서 분석
② 관찰
③ 전문가 판단
④ 대안 생성

해설

일반적으로 계획을 만들 때는 전문가 판단이 사용된다.

15 통합 변경 통제 수행은 어느 프로세스 그룹이 속하여 있는가?

① 기획
② 실행
③ 감시 및 통제
④ 종료

해설

변경 요청에 대한 승인 및 거부를 하는 통합 변경 통제 수행 프로세스는 감시 및 통제 프로세스 그룹에 속한다.

16 WBS(Work breakdown structure)의 대표적인 도구는 어느 것인가?

① 분할 ② 검사
③ 합산 ④ 제품 분석

해설

WBS(Work breakdown structure)는 큰 것을 쪼개는 형태이므로 분할이 대표적인 도구 및 기법이다.

17 활동 정의 프로세스의 대표적인 도구 및 기법은 어느 것인가?

① 벤치마킹 ② 분할
③ 상향식 산정 ④ 관찰

해설

활동 정의는 Work package를 활동으로 분할하고 정의하는 것이다. 역시 쪼개는 분할이 대표적인 도구 및 기법이다.

18 활동 순서 프로세스의 산출물은 어느 것인가?

① 활동목록
② 프로젝트 범위 기술서
③ 프로젝트 일정 네트워크 다이어그램
④ 일정 기준선

해설

활동을 일정별로 흐름으로 그린 그림인 일정 네트워크 다이어그램이 활동 순서의 산출물이다.

19 정량적 리스크 분석 수행 프로세스의 산출물은 다음 중 어느 것인가?

① P-I Matrix
② 리스크 관리대장 업데이트
③ 이차 리스크
④ 의사결정 나무

해설

정량적 리스크 분석의 산출물은 프로젝트 문서 업데이트인데 핵심은 리스크 관리대장 업데이트이다. 의사결정 나무는 정량적 리스크 분석 수행 시 사용되는 도구 및 기법이다.

20 조달관리계획 프로세스의 산출물이 아닌 것은 다음 중 어느 것인가?

① Make or buy decisions
② 조달관리계획
③ 조달 전략
④ 선정된 판매자

해설

선정된 판매자는 조달수행의 산출물이다.

정답

1	2	3	4	5	6	7	8	9	10
②	④	④	①	②	②	②	④	①	③

11	12	13	14	15	16	17	18	19	20
③	④	②	③	③	①	②	③	②	④

실전 모의고사 150문제

1회

1 차수 문제는 비교적 기본문제로 구성이 되었으며 기본을 튼튼하게 하는 부분이 될 것이다. 주요 용어의 이해와 다양한 프로세스의 역할과 입력물과 산출물을 이해하는 과정이다.

실전 모의고사 1회

01 프로젝트들을 개별적으로 관리할 때 얻을 수 없는 또 다른 이익이나 통제를 얻기 위해 관련된 프로젝트들을 그룹화하여 관리하는 것은 무엇인가?

① 프로젝트 관리
② 프로그램 관리
③ PMO management
④ 포트폴리오 관리

02 이것은 무엇에 대한 설명인가? 프로젝트를 효과적으로 관리하기 위해 프로젝트 또는 프로젝트 인도물을 분할한 것이며, 이것이 완료되면 하나 이상의 산출물이 만들어지고, 순차적으로 진행하고 특성상 겹칠 수 있다.

① 프로세스 그룹(Process group)
② 프로젝트 단계(Project phase)
③ Decomposition
④ Logical relationship

03 프로그램의 전략적 목표나 이익을 달성하기 위해 프로그램 관리를 중앙에서 통합적으로 관리하는 것은?

① 프로그램 관리
② 프로젝트 관리
③ PMO management
④ 포트폴리오 관리

04 프로그램 관리의 주요 역할이 아닌 것은 무엇인가?

① 프로젝트 또는 프로그램의 이슈를 해결한다.

② 프로젝트에 영향을 주는 조직의 전략을 프로그램 목표에 일치시킨다.

③ 프로그램에 영향을 주는 자원 제약을 해결한다.

④ 조직가치를 극대화하기 위해 조직 전체를 통합화한다.

05 다음 중 프로젝트 특성으로 볼 수 없는 것은 무엇인가?

① 확실한 구체적 목표를 가지고 있다.

② 시간이 지나면서 점점 구체화된다.

③ 유일하고 일시적인 특징이 있다.

④ 계속적으로 반복되고 결코 끝나지 않는다.

06 프로젝트 관리에 관한 설명으로 가장 적합한 것은?

① 프로젝트 관리란 프로젝트 요구사항을 충족시키는 데 필요한 지식, 기량, 도구 및 기법 등을 프로젝트 활동에 적용하는 활동이다.

② 결과물이 잘 나오도록 프로젝트팀원들을 감시하는 행위이다.

③ 프로젝트 획득을 위한 로비 활동이다.

④ 결과물이 정해진 일정에 나오도록 계획을 잘 만드는 활동을 말한다.

07 프로젝트 업무(Project work)와 운영 업무(Operational work)의 차이와 설명 중 가장 올바른 설명은 무엇인가?

① 프로젝트 업무가 고유한 산출물을 만드는 것과는 달리 운영 업무는 지속적이고 반복적인 산출물을 만든다.
② 출장경비 지급업무는 프로젝트 업무이다.
③ 운영 업무가 더 중요하다.
④ 운영 업무는 기계가 대신하는 업무이다.

08 다음 설명 중 프로젝트의 성격으로 가장 맞지 않는 것은?

① 한시적이다.
② 유일하다.
③ 구체적 목표를 가지고 있다.
④ 유사한 일을 반복하는 활동이다.

09 프로젝트 단계에 대한 설명이다. 다음 중 내용이 잘못된 것은 어느 것인가?

① 단계는 흐름으로 연결될 수 있다.
② 단계는 일부 중첩이 되면서 전개될 수 있다.
③ 종료 프로세스에서 단계의 종료는 포함하지 않는다.
④ 프로젝트에는 여러 단계가 포함될 수 있다.

10 PMO(Project management office)란 프로젝트 관련 지배 프로세스 표준화, 자원 분배, 방법론, 도구 및 기법을 조정하는 관리구조이다. 다음 중 PMO의 기본 유형이 아닌 것은 어느 것인가?

① Supportive(지원형)

② Controlling(통제형)

③ Directive(지시형)

④ Integrative(통합형)

11 어떤 조직구조가 자원 활용성 측면에서 극대화하는 측면이 있지만, 업무 보고에 있어서는 이중보고의 문제점이 있는가?

① 기능 조직구조

② 약한 매트릭스 조직구조

③ 균형 매트릭스 조직구조

④ 프로젝트 조직구조

12 프로젝트 조직(Projectized organization)의 특징에 해당되지 않는 것은 다음 중 어느 것인가?

① 보고체계가 프로젝트 관리자와 기능 부서장으로 이원화되어 있다.

② 프로젝트에 대한 충성도(Loyalty)가 높다.

③ 프로젝트가 종료되면 팀이 해체되기 때문에 안정된 조직은 아니다.

④ Co-location 해야 업무의 효율성이 더 높아진다.

13 회사에서 이번에 대규모 프로젝트가 한 지역에 한정되어 활동이 전개된다. 이렇게 모든 활동이 한 지역에서 대형 프로젝트로 집중될 때 가장 이상적인 조직 형태는 무엇인가?

① 혼합 조직
② 매트릭스 조직
③ 프로젝트 조직
④ 기능 조직

14 당신은 프로젝트 관리자로 임명받았는데 프로젝트 추진의 조직구조가 Balanced matrix로 되어있다. 이런 경우 다음 중 프로젝트 관리자와 기능 관리자 사이에서 발생하는 갈등을 유발하는 가장 큰 요인은 무엇인가?

① 책임과 권한에 대한 구분
② 예산에 대한 예비비 사용 권한의 우선권
③ 프로젝트 환경에서 사용되는 보고양식의 표준화 문제
④ 프로젝트 종료 시의 자원 환원 문제

15 매트릭스(Matrix) 조직 구조의 환경에서 가장 중요하다고 생각하는 것은 무엇인가?

① 통합관리
② 협상
③ 갈등관리
④ 팀원 관리

16 당신은 프로젝트팀원으로 이번에 매트릭스 조직구조에서 일하게 되었다. 당신이 알고 있는 매트릭스 조직구조에서 다음 중 팀원 입장에서 매트릭스 조직에 대한 장점을 설명한 것은 어느 것인가?

① 기능 부분과 프로젝트 부분의 일을 같이하므로 일의 효율성이 높아진다.

② 프로젝트 관련 일이 끝나더라도 큰 문제 없이 지속적으로 기능부서의 일을 수행할 수 있다.

③ 일에 대한 성과 보고를 기능 부서장과 프로젝트 관리자에게 각각 보고하게 되니 전문성의 다양성이 심화되었다.

④ 프로젝트 관리 부분의 일보다 기능 부분의 일을 항상 우선시하여 전문성을 유지한다.

17 조직구조에서 Project coordinator는 Project expeditor와 어떤 점에서 가장 크게 다른가?

① 의사 결정권이 없다.

② 의사 결정권이 있다.

③ 상위 관리자에게 보고한다.

④ 프로젝트 예산 집행에 대한 사용권이 있다.

18 다음 중 프로젝트 생애주기가 갖고 있는 일반적인 공통점 중 틀린 것은?

① 비용과 인력은 초기에 낮게 투입되고, 증가하다 프로젝트 종료 시점에 급격히 감소한다.

② 이해관계자가 프로젝트에 미치는 영향력 및 리스크, 불확실성은 초기에 높으나 점차 낮아진다.

③ 결함을 고치거나 변경에 필요한 비용은 초기에 낮고, 진행될수록 많아진다.

④ 제품 생애주기보다 프로젝트 생애주기가 더 광범위하다.

19 PMO의 주요 역할이 아닌 것은 무엇인가?

① 하위 수준의 프로젝트 진척을 관리한다.

② 모든 프로젝트에 걸쳐 자원 공유를 관리한다.

③ 프로젝트 간의 의사소통을 조정한다.

④ 경영진이 전체 현황을 알 수 있도록 지속적으로 상황실을 관리한다.

20 조직 프로세스 자산 중 지식에 관련된 조직 프로세스 자산의 예인 것은?

① 재무 통제 절차, 변경 통제 절차

② 실제 발생했던 이슈나 결함에 관련된 DB(데이터베이스)

③ 조직의 프로세스 조정에 대한 지침 및 기준

④ 회사에서 사용하는 표준 템플릿

21 프로젝트가 종료 단계로 들어가기 직전이다. 품질 통제에서 인도물에 대한 검증도 무사히 마치고 이제는 프로젝트를 잘 종료시키고자 한다. 이런 시점에서 프로젝트 관리자가 해야 할 가장 중요한 역할은 무엇인가?

① 프로젝트 Lessons Learned를 종합한다.

② 범위 확인의 수행을 통한 고객의 인도물을 인수 추진한다.

③ 계약 관계 및 클레임 처리를 완료한다.

④ 팀원 해체에 따른 기능 부서장과의 협상

22 프로젝트 관리자는 프로젝트 수행목표 준수를 위해 팀원과 화합하고 팀을 통합하여야 한다. 이에 통합자로서의 PM의 역할을 가장 잘 설명하고 있는 것은?

① 팀원이 프로젝트 목표를 이해하도록 꾸준한 교육을 지원하는 것
② 팀 개발 활동을 통해 Teamwork를 향상하고 모든 팀 멤버들을 하나의 응집력 있는 전체로 두는 것
③ 팀 개인의 고충을 이해하고 갈등을 순차적으로 정리하는 것
④ 팀 관리를 통해 수시로 변경 요청을 통해 팀의 성과 향상을 위해 노력하는 것

23 당신은 복잡하고 다양한 프로젝트 환경에서 일하는 프로젝트 관리자이다. 프로젝트 관리자는 하드 스킬과 소프트 스킬의 보유를 기본으로 하고 있다. 다음 중 일반적으로 관리자로서 갖추어야 할 가장 우선시 되는 것은 무엇인가?

① 이해관계자와의 Negotiation skill
② 실무에 대한 지식의 탁월함
③ 이해관계자들의 요구사항에 균형을 유지하면서 프로젝트 목표를 준수하는 능력
④ 탁월한 보고 능력

24 당신은 프로젝트 관리자로 여러 팀원과 프로젝트 목표를 달성하기 위해 최선의 노력을 다하고 있다. 일이 과도하게 진행되다 보니 일정과 비용 관련 갈등도 발생한다. 프로젝트 상황에서 팀의 단결은 프로젝트 성공을 위해 매우 중요하다. 아래 보기 중에서 팀 단결을 가장 저해하는 것은 무엇인가?

① 기준선에 대한 감시 및 통제
② 프로젝트 관리자에 대한 신뢰감 상실
③ 변경 절차를 거친 많은 변경요청
④ 지시적인 관리자의 리더십

25 당신은 회사의 경영자이다. 이번에 프로젝트 수행을 위해 능력 있는 프로젝트 관리자 1명을 채용하고자 한다. 이번 프로젝트가 포트폴리오 관점에서 중요하고 이해관계자가 많은 편이다. 이런 경우 당신은 경영자로서 프로젝트 관리자를 채용할 때 무엇을 우선으로 하겠는가?

① 프로젝트 경험

② 해당 부분의 전문 지식

③ 이해관계자 간 의사소통 능력과 통합 기술

④ 법률 지식 및 도덕성

26 프로젝트팀원에 대한 배정 및 팀 성과개발 등 동기부여, 문제 해결이 일어나는 프로세스 그룹은?

① 착수(Initiating) 프로세스 그룹

② 기획(Planning) 프로세스 그룹

③ 실행(Executing) 프로세스 그룹

④ 종료(Closing) 프로세스 그룹

27 프로젝트를 진행하면서 더 많은 정보가 추가됨에 따라 좀 더 정확한 일정을 다시 계획하게 되면서 계획이 점진적으로 구체화되는 것을 무엇이라고 하는가?

① Subsidiary plans

② Work breakdown structure

③ Scope baseline

④ Rolling wave planning

28 프로젝트 관리자나 프로젝트팀이 프로젝트를 성공시키기 위해 고려해야 할 사항이 아닌 것은?

① 적절한 프로세스를 선택한다.
② 일반적으로 정의된 접근 방법을 선택한다.
③ 스폰서 및 이해관계자들의 요구 사항을 맞춘다.
④ 원가와 기간만을 최적화한다.

29 프로젝트에서 교훈 정보를 수집하는 목적으로 가장 적당한 것은?

① 프로젝트 관리자 및 팀원은 이번 프로젝트에서 발생한 교훈 사항을 바로 적용하여 프로젝트를 성공으로 이끈다.
② 교훈 사항 문서는 고객의 인수조건에서 확인하는 부분이다.
③ 각 프로젝트에서 작성된 교훈 사항은 다음의 프로젝트에 반영하여 효율적인 프로젝트 수행에 도움을 주기 때문이다.
④ 교훈 사항 정리의 결과에 따라 팀원의 보상 차이가 발생하기 때문이다.

30 다음 조직구조에 관한 설명 중 맞는 것은?

① 균형 매트릭스 조직에서 참여 인력은 Full-time으로 프로젝트에 참여하게 된다.
② 기능 조직에서는 각 부서별로 책임자가 존재한다.
③ 약한 매트릭스 조직을 이끌어가는 사람을 프로젝트 관리자라 한다.
④ 프로젝트화 조직에서 프로젝트팀원들은 종료 후 반드시 기능조직으로 복귀한다.

31 프로젝트 헌장(Project charter)에 다음과 같은 요건이 최소한 정의되어야 한다. 중요 요건은 무엇인가?

① 프로젝트에 관한 상세한 위험 및 제한사항

② 프로젝트 관리자와 기능 관리자의 책임과 권한

③ 프로젝트 관리조직의 지정

④ 상세한 프로젝트 산출물

32 통합 변경 통제 시스템을 실시하는 근본적인 이유는 무엇인가?

① 변경 요청되는 내용을 정확히 이해하기 위해서

② 변경 요청을 통제하여 요청 횟수를 줄이기 위해서

③ 변경 요청 내용을 가장 빠르게 반영하기 위해서

④ 변경 요청 시 변경내용의 정식 문서화를 통한 절차 확립 및 버전 관리 등을 철저하게 관리하기 위하여

33 감시 및 통제 프로세스(범위/일정/원가)에서 공통으로 나오는 산출물만 짝지은 것은 다음 중 어떤 것인가?

① 작업성과 데이터, 변경 요청들

② 작업성과 정보, 변경 요청들

③ 검증된 인도물, 작업성과 보고서

④ 변경 요청들, 검증된 인도물

34 변경 요청과 관련 프로세스 흐름 및 관련 내용의 설명이 잘못된 것은 무엇인가?

① 정식변경은 통합 변경 통제 수행 프로세스를 통해 승인 또는 거부가 되어야 한다.
② 변경 요청은 시정요구, 예방조치, 결함 수정 요구를 포함할 수 있다.
③ 승인된 변경은 실행을 통해 변경 실행이 되고 계획이나 문서를 갱신하게 한다.
④ 승인된 변경은 제대로 변경내용이 실행되었는지를 재확인하기 위해 범위 확인과 품질 관리수행 프로세스를 통해 재확인된다.

35 변경 통제 관련 설명이다. 다음 중 잘못된 설명은 어느 것인가?

① 범위 확인이 완료되어 인도물이 승인이 되고 나서 발생하는 변경 요청사항은 원칙적으로 정식변경 절차를 거쳐야 한다.
② 통합 변경 통제 수행 프로세스에서 진행하는 변경 요청 검토는 승인이 되면 실행을 통해 조치하고 문서나 계획을 갱신한다.
③ 승인된 변경 요청이나 거부된 변경 요청 사항은 Change log에 기록하고 이해관계자에게 통보되어야 한다.
④ 모든 승인된 변경 요청 내용은 품질관리 프로세스 입력물로 투입되어 변경내용을 반영하여 프로세스 개선 활동을 할 때 사용된다.

36 다음 중 통합 관리 지식 영역의 프로젝트 헌장개발 산출물인 프로젝트 헌장(Project charter)과 관련하여 바른 설명이 아닌 것은?

① Business Case란 타당성 검토를 뜻한다.
② 제품과 관련된 특징 등이 기술되어 있다.
③ 프로젝트 차터 승인 후 PM(프로젝트 관리자)은 자원(Resource)을 사용하는 권한(Authority)을 받게 된다.
④ 프로젝트 차터는 작성 후 절대 갱신될 수 없다.

37 프로젝트 종료 시 왜 Lesson learned는 필요한가? 가장 적절한 것은?

① 회사의 중요한 자산이면서, 다음 프로젝트 시 중요 내용을 활용하게 된다.

② 프로젝트의 표준 및 절차가 들어 있어서 표준 Template를 사용하기 때문이다

③ 프로젝트 정보시스템과 연결되어 저장되며, 보안상 해당 프로젝트 관리자의 이해관계자들은 절대 볼 수 없다.

④ 프로젝트를 지연 또는 취소할 시 중요한 근거자료가 된다.

38 당신은 문제가 예상되는 프로젝트를 수행하는 프로젝트 관리자로 최근에 임명되었다. 프로젝트의 현황을 분석해보니 프로젝트 일정은 지연되고 있으며 많은 갈등과 변경사항을 포함하고 있다. 프로젝트 획득 가치분석을 통해 현 프로젝트가 계속 진행되면 중 후반에 비용 초과가 예상되었다. 이런 상황에서 당신은 프로젝트 관리자로서 어떤 조치를 취할 것인가?

① 상위 관리자와 협의한다.

② 프로젝트팀원과 타협을 한다.

③ 프로젝트팀원과 같이 영향을 분석하고 대안을 찾아본다.

④ 프로젝트 계획을 변경한다.

39 프로젝트에 대한 기술적인 업무가 모두 종료되었다. 이제 마지막으로 프로젝트 관리자와 팀원이 하여야 하는 일은?

① 교훈(lessons learned) 작성한 것을 최종 정리한다.

② 예비비 남은 부분을 환원 조치한다.

③ 최종 범위 확인을 위해 고객과 요구사항 문서를 같이 검토한다.

④ Risk register를 최종 갱신한다.

40 한 성분을 증가시켜 가면 단위 투입량에 대한 수확량이 점점 증가하여 극대점에 이르렀다가 이 적정 투입량보다 더 많이 투입하면 수확량이 오히려 점차 감소하는 법칙으로 예를 들면 고장 설비 수리에 투입되는 요원의 적정성 등이 있다. 이 법칙을 무엇이라 하는가?

① 한계효용의 법칙
② 수확 체감의 법칙
③ 규모의 경제법칙
④ 수요와 공급의 법칙

41 범위 통제에서 정식적인 변경 통제 절차를 무시하고 변경이 발생하는 것을 무엇이라고 하나?

① Gold plating
② Change requests
③ Scope creep
④ Change control board

42 다음 중 범위 확인과 품질 통제 프로세스의 비교 설명이 잘못된 것은?

① 품질 통제가 인도물을 품질 표준에 맞추는 정확성에 초점을 맞추는 반면 범위 확인은 인도물을 고객이 인수할 것인지에 초점을 맞추고 있다.
② 일반적으로 품질 통제가 범위 확인에 선행한다.
③ 품질 통제를 마치면 검증된 인도물이라 부른다.
④ 범위 확인을 통과한 인도물은 범위 통제 프로세스를 거쳐 프로젝트 종료 프로세스로 보내진다.

43 몇 개의 Work package를 다시 grouping하여 효율적으로 프로젝트 비용 및 일정을 통제하는 단위를 지칭하는 용어는?

① Control account
② 100% rule
③ WBS(Work breakdown structure)
④ A code of account

44 범위 확인의 목표는 무엇인가? 가장 알맞은 것은?

① 결함을 고치고 프로젝트 범위 기술서를 갱신하여 변경조치 하는 것
② 프로젝트 목표를 일체화시키고 공동의 목표를 달성하기 위한 노력을 하는 것
③ 스폰서와 이해관계자로부터 인도물의 정식 인수를 얻어내는 것
④ 인도물의 품질을 품질 표준에 준하여 꼼꼼히 검사하는 것

45 범위 관리 부문에 있어 범위 정의(Define scope)의 산출물인 프로젝트 범위 기술서의 목적과 내용을 가장 잘 설명한 것은?

① 프로젝트 요구사항들을 분석하고 정리하여 프로젝트의 범위 및 요구사항, 인도물을 설명하고 가정 및 제약사항, 인수조건 등을 포함한다.
② 프로젝트 초기 착수단계에서 프로젝트의 목적 및 개요를 나타낸다.
③ 프로젝트 제품의 기능을 설명하고 품질의 목표를 규정하고 프로세스 개선계획을 통한 개선 활동을 정의한다.
④ 인도물들을 분할한다.

46 당신은 프로젝트 관리자이다. 이번 프로젝트가 거의 완료되어 가고 있을 때, 고객이 프로젝트 작업에 대한 범위 변경을 갑자기 요구하였다. 이때 당신은 프로젝트 관리자로서 어떻게 대처하겠는가?

① 범위를 즉시 변경한다.

② 변경을 거절한다.

③ 변경에 따르는 영향(Impact)을 고객에게 알린다.

④ 상위 관리자에게 보고한다.

47 프로젝트 관리자가 어느 날 팀 회의를 주재하였다. 회의 중 한 팀원이 업무 도중 고객으로부터 추가 범위 작업을 요청받아서 프로젝트 헌장의 범위에 벗어나는 작업 범위 추가를 제안하였다. 이때 프로젝트 관리자는 범위에 정한 일만 반드시 수행하도록 강조하면서 지시하였다. 만일 범위 변경을 하려면 정식변경 절차를 따르도록 지시하였다. 이런 경우 프로젝트 관리자는 프로젝트 관리에서 어떤 부분을 강조한 것으로 이해되는가?

① 범위 관리의 중요성

② 관리자의 리더십 발휘

③ 프로젝트 헌장 준수

④ 리스크 관리의 중요성 강조

48 다음 중 어느 것에 WBS(Work breakdown structure)가 가장 유용하게 사용되는가?

① 작업 범위에 대한 구체적인 내부 이해관계자 및 고객과의 의사소통

② 각 작업에 대한 예비비 산정

③ Kick off meeting을 하기 위한 준비

④ 품질 목표 결정

49 범위 기준선이 리스크 식별(Identify risks)의 중요한 입력물이 되는 이유는 무엇인가?

① 모든 작업에 대해 식별함으로써, 위험의 근원을 파악하는 데 도움이 된다.
② Work package의 식별을 통해 각 작업에 대한 책임과 권한을 할당할 수 있다.
③ 완료되어야 할 모든 업무를 식별함으로써, 품질 문제에 대한 접근이 가능하다.
④ 범위 기준선에 포함되어 있는 WBS(Work breakdown structure)는 원가 산정의 기본이 된다.

50 당신은 프로젝트 관리자이다. 이에 고객과의 계약을 성실히 수행하고 범위 확인 프로세스를 완료하고 이제 종료 프로세스 단계에 접어들었다. 그러나 고객은 결과물에 대해 심각한 범위 추가 및 변경을 요청하였다. 이때 당신은 프로젝트 관리자로 계약 및 프로젝트팀원들에 대해서 어떤 조치를 취하겠는가?

① 변경에 대비한 프로젝트팀원의 대기 조치 및 추가 투입 및 별도 계약을 추진한다.
② 프로젝트팀원 해제(Release) 후 별도 계약을 진행한 후 계약이 성사되면 그때 팀원을 투입한다.
③ 계약방식을 고정 계약으로 변경하고 팀원은 일단 대기 조치한다.
④ 고객에게 변경하기에 너무 늦었다고 통보하고 종료를 추진하고 팀원은 일단 대기 조치한다.

51 일정 흐름의 산출물로 활동들 간의 연관성을 그림으로 표현하는 것으로 활동 흐름(Sequence activities) 프로세스의 산출물은 무엇인가?

① Activity attributes
② Project schedule network diagram
③ Project schedule
④ Schedule baseline

52 당신은 프로젝트 관리자이다. 아래 그림에서 당신은 프로그램 관리자로부터 다른 프로젝트의 긴급성 때문에 일부 자원의 지원을 요청받았다. 따라서 팀원을 일부 감축하여야 한다. 이런 경우 어떤 활동으로부터 자원의 활동 시간을 줄이는 것이 가장 좋은가?

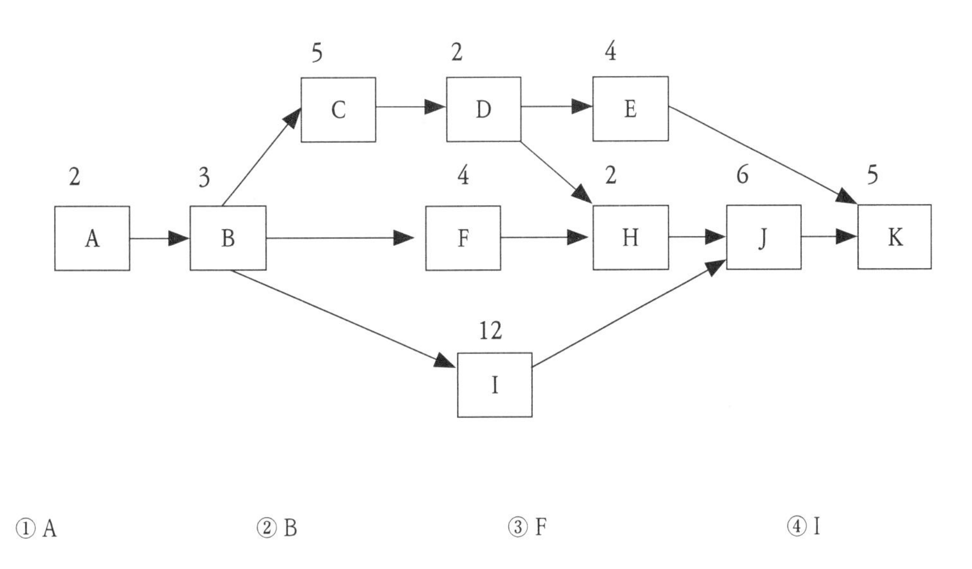

① A ② B ③ F ④ I

53 당신은 프로젝트 관리자로서 팀원들과 정기적으로 일정 성과에 대한 작업성과 정보를 만들고 있다. 일정에 대한 실적은 실제 실행의 작업성과 데이터의 내용을 실적으로 한다. 이때 실적과 비교되는 일정의 기준은 어떤 것이 되겠는가?

① 일정 관리계획(Schedule management plan)
② 일정 기준선(Schedule baseline)
③ 작업성과 보고서(Work performance reports)
④ 프로젝트 자원 달력(Project calendars)

54 다음 중 일정 관리와 관련되어 있는 네트워크 다이어그램(Network diagram)의 설명 중 맞지 않는 것은?

① 주로 활동 흐름을 만들 때 사용된다.

② 활동 간의 논리적 연관 관계를 보여준다.

③ FF, SF, FS, SF 중에서 가장 일반적인 논리적 관계는 FS(Finish to Start)이다.

④ FS와 활동 의존성의 Mandatory dependency는 똑같은 의미이다.

55 일정 개발에서 사용되는 Float(Stack)는 무엇에 대한 것인가? 다음 설명 중 Float에 대한 설명 중 가장 정확한 표현은 다음 중 어느 것인가?

① 전체 일정에서 발생하는 전체 일정이 가지고 있는 여유 기간의 총합계

② 활동에서 발생하는 제약 기간

③ 전체 일정을 지연시키지 않고 단위 활동이 가질 수 있는 여유 기간

④ Float와 Free Float는 같은 의미이다.

56 일정 흐름에서 후행 작업을 가속화 하는 논리적 연관 관계를 나타내는 용어는 무엇인가?

① Lead

② Lag

③ Forward pass

④ Fast tracking

57 일정 관리에서 회의 또는 보고 시 사용되는 마일스톤(중요 시점)을 가장 잘 표현한 것은 다음 중 어느 것인가?

① 연관된 활동들의 연결된 네트워크 조합
② 일정의 기준선을 포함한 프로젝트 전체일정표
③ 각 활동의 시작과 끝을 포함하는 자원 가용성을 포함한 달력 형태의 일정 관리
④ 중요한 작업 단위의 일을 완료하는 시점으로 중요 검증 단계의 표시

58 당신은 프로젝트 관리자로 일정에 대한 3점 추정을 이용한 PERT 분석을 하고 있다. 한 개의 중요한 활동에 대해 낙관적 산정치(Optimistic estimates)는 10일, 비관적 산정치(Pessimistic estimates)는 20일이다. Most likely estimate가 14일이라면 PERT에 의한 계산식의 값은 얼마인가?

① 13 days
② 14 days
③ 15 days
④ 16 days

59 '건설에서 기초공사를 끝내야 상부 건물을 세울 수 있다.'는 활동 흐름에서 어떤 의존성의 예인가?

① 임의적 의존성
② 외부적 의존성
③ 의무적 의존성
④ 내부적 의존성

60 활동 흐름에서 Lead 또는 Lag 표현을 한 PDM의 표시방식에서 FS-3 days라는 표시가 되었다면 무슨 의미인가?

① 앞 공정이 끝나기 3일 전에 시작하라.
② 앞 공정이 끝나고 3일 후에 시작하라.
③ 앞 공정이 시작되면 3일 후에 시작하라.
④ 앞 공정이 시작되면 3일 전에 시작하라.

61 프로젝트 원가를 산정할 때에는 사용될 비용만 생각하기보다 프로젝트 종료 후에 제품을 유지하고 사용하고 관리하는데 필요한 돈까지 폭넓게 생각할 필요가 있다. 이런 식으로 프로젝트의 원가뿐만 아니라 제품 전체에 들어가는 원가까지 폭넓게 보는 것은?

① 수확 체감의 법칙
② 한계효용의 법칙
③ Life cycle costing
④ Learning Curve

62 프로젝트의 작업성과 보고서에 나타난 현재의 프로젝트 성과는 다음과 같다. 비용성과지수(CPI)=0.95, 일정성과지수(SPI)=1.15일 때, 당신이 프로젝트 관리자로서 이에 적절한 대응은 무엇인가?

① 프로젝트 일정에 어떤 문제점이 있는지 조사한다.
② 프로젝트 비용에 어떤 문제점이 있는지 조사하고 조치를 취한다.
③ 일정 단축과 관련된 Fast tracking을 실시한다.
④ 일정 단축과 관련된 Crashing을 실시한다.

63 당신은 프로젝트 관리자로서 CM 프로젝트를 관리하고 있다. 현재 CM 프로젝트 개발에 있어서 현재 상태는 SPI 1.1과 CPI 0.9를 나타내고 있다. 현재 프로젝트는 어떠한 상태에서 비롯된 현상을 나타내고 있는가?

① 일정이 지연되어 있어 자원을 투입하고 있다.

② 팀원 중 일부가 휴가를 갔다.

③ 원가절감이 되어 어느 정도 예비비가 넉넉하다.

④ 전문가를 투입하여 일정을 단축하였으나 비용이 과다 소요되었다.

64 프로젝트 관리자로서 당신의 프로젝트 예산은 150억 원이다. 현재까지 약 1/3분의 일정이 지나고 있다. 현재까지 진행된 일의 가치(EV)는 45억 원이다. 현재 기준시점의 원가 기준선 예산은 50억 원(PV)을 예상했었다. 실제로 사용된 돈을 따져보니 47억 원만큼 사용한 것으로 나타났다. 그렇다면 여기서 SV, CV, SPI, CPI 값이 틀린 것은 다음 중 무엇인가?

① SV= -5억 원 ② CV= -2억 원

③ SPI= 0.95 ④ CPI= 0.96

65 총프로젝트의 예산이 150억 원이다. 현재까지 약 1/3분의 일정이 지나고 있다. 현재까지 진행된 일의 가치(EV)는 45억 원이다. 현재 기준시점의 원가 기준선 예산은 50억 원(PV)을 예상했었다. 실제로 사용된 돈을 따져보니 47억 원만큼 사용한 것으로 나타났다. 현재와 같이 성과(일정/비용)의 상황이 지속된 다면 예측되는 프로젝트 예산은 얼마인가?

① 150억 원(변동 없음) ② 152.25억 원

③ 156.25억 원 ④ 159.75억 원

66 당신은 프로젝트 관리자로 월별로 작업성과 보고를 경영진에게 하게 되어 있다. 팀원들이 분석한 현재의 프로젝트 성과 관련하여 일정과 비용의 성과가 다음과 같이 도출되었다. 이 자료를 바탕으로 일정 편차(Schedule Variance)와 비용 편차(Cost Variance)가 같은 수치가 나왔고 두 수치가 모두 0보다 크다면 현재 프로젝트 상태는 어떤 상태로 보는 것이 맞는가?

① 현재로는 프로젝트의 현황을 파악하기 힘들다. 다만 일정 편차 사태는 좋은 편이 아니다.

② 두 수치가 0보다 크다면 두 프로젝트는 추가 자원 투입으로 인해 일의 성과가 좋아졌다는 것을 의미한다.

③ 현재의 일정과 비용에 편차는 좋은 편이라 예상이 된다.

④ 일정 편차가 비용 편차보다 훨씬 중요하다.

67 Contingency reserves의 설명 중 잘못된 것은 무엇인가?

① 식별하지 못한 리스크에 대한 예비비이다.

② 프로젝트 관리자가 판단하여 사용한다.

③ 원가 기준선에 포함되어 있다.

④ 예비비의 규모는 전문가 판단을 참조하고 경험에 의해 수립한다.

68 당신은 프로젝트 현황의 분석 결과를 통해 비용 차이(Cost variance)에 대한 부적절한 대응으로 인해 품질 또는 일정 문제에 있어 수용 불가능한 프로젝트 리스크가 발생할 수 있다는 사실을 알게 되었다. 당신은 원가 통제의 중요성을 논의하기 위한 팀 회의를 이끌고 있다. 회의가 진행되는 동안 당신은 원가 통제가 다음 중 무엇과 관련되어 있다는 사실을 알게 되는가?

① 전체 부분 산정을 통해 전체 예산을 만든다.

② 프로젝트를 완료하는데 필요한 자원에 대한 비용을 산정한다.

③ 프로젝트 상태와 예산을 비교하여 적절한 예비비를 확충하기 위한 변경조치를 시행하고 적절한 예비비가 잔여량을 감시 및 통제하여 문제를 예방한다.

④ 원가 기준선을 승인하고 전체 프로젝트 작업 현황 보고를 위한 작업성과정보를 만든다.

69 EV= $3,300 PV = $3,000, AC= $2,100일 경우 SV 및 SPI는 얼마인가?

① SV= $300, SPI=1.1
② SV= -$300, SPI=0.91
③ SV= $1200, SPI=1.57
④ SV= $300, SPI=0.9

70 Bottom-up Cost Estimating(상향식 원가 산정)에서, 어떤 경우에 가장 정확한 원가 산정이 가능한가?

① 유사한 과거 프로젝트의 정보를 이용할 때
② 작은 작업 구성 요소를 산정하고 위로 합산해 나갈 때
③ 프로젝트의 범위가 반복되는 형태로 매개변수 산정을 이용할 때
④ 프로젝트 범위가 불확실하여 3점 추정을 통한 분석을 할 때

71 프로젝트에서 합의된 범위 외 고객의 추가사항(추가 기능 요구, 고품질의 부품, 추가 작업 업무)을 받아들이지 않고, 또 일부러 더할 필요 없는 것을 말하는 것으로, 이로 인해 예상치 못한 문제가 발생하여 고객이 인도물을 거부하는 상황이 발생할 수 있고, 비용이 추가 발생할 수도 있다. 이런 행위를 무엇이라고 하나?

① Gold plating
② Approved change requests
③ Scope creep
④ Risk threshold

72 품질관리에서 품질 통제에 주로 사용하는 도구인 파레토 다이어그램(Pareto diagram)의 용도는 다음 중 무엇인가?

① 2가지 원인에 대한 상관관계를 자세히 보여준다.

② 과거 추이 분석을 통한 향후 품질 방향에 대한 준비를 하게 해준다.

③ 품질문제에 대한 중요 원인을 유형별로 나타내어 문제의 우선순위를 나타나게 해준다.

④ 요소 간 상호 작용의 민감성을 나타내어 원인과 결과의 분석 자료를 나타낸다.

73 품질 통제에서 통합 변경 통제 수행 프로세스의 산출물인 승인된 변경 요청이 입력물로 투입되는 이유로 가장 합당한 것은 다음 중 무엇인가?

① 승인된 변경 요청으로 인한 시정조치된 내용이 잘 반영되었는지를 확인하기 위해 변경 요청 내용을 보고 잘 검사하기 위함이다.

② 변경 요청은 언제든지 일어날 수 있다. 따라서 품질과 관련 변경사항을 잘 이해하고 관리함으로써 품질 문제 예방에 초점을 맞출 수가 있다.

③ 승인된 변경 요청 내용을 기준으로 인도물 검사 후 작업성과 정보를 만드는 데 주요 목적이 있다.

④ 변경 이력을 잘 관리함으로써 향후 품질의 리스크 관리에 도움이 되기 때문이다.

74 품질 비용에서 예방 비용에 해당하는 것은 다음 중 어느 것인가?

① 공정검사의 테스트 설비 보수

② 작업자에 대한 교육

③ 문제에 대한 회의

④ 장비에 대한 원가 자료 조사

75 품질 관리에서 품질 통제 프로세스의 산출물인 품질 통제 측정치(Quality control measurements)는 어디로 입력이 되는가?

① 품질관리 프로세스를 위한 입력물로 사용된다.

② 관리도(Control chart)를 개발하기 위해 사용된다.

③ 품질관리계획을 위한 입력물로 사용된다.

④ 조직의 변경관리시스템 개선을 준비하기 위해 사용된다.

76 품질관리 활동에서 사용되는 파레토 다이어그램(Pareto diagram)은 무엇을 위해 사용되는가?

① 품질의 미래 수준을 정확히 예측하기 위해

② 과거로부터의 품질의 수준의 흐름과 향후 추세를 확인하기 위해

③ 품질과 연관된 요인들의 상관관계를 비교하기 위해

④ 가장 핵심 품질의 원인 및 이슈(Issue)에 초점을 맞추기 위해

77 Project team은 프로젝트 계획 후 감시 및 통제 단계에서 품질의 인도물과 관련하여 Control chart를 사용하고 있다. Control chart의 중요한 용도는 무엇인가?

① 오랜 추이 곡선을 바탕으로 품질향상을 위해 중점 개선 활동을 위한 바탕이 된다.

② 인도물의 품질 문제에 우선순위를 결정하게 한다.

③ 프로젝트의 현 인도물의 상태가 일정 통제 범위를 벗어났는지를 판단할 수 있게 한다.

④ 바람직한 향후 산출물들에 대하여 탐구할 수 있도록 한다.

78 품질에 대한 정의는 다양하다. 현대적인 품질(Quality)에 대한 정의에 가까운 것은 다음 중 어느 것인가?

① 전수검사를 통한 요구사항을 준수하는 것
② 분임조 활동을 통한 현장 관리
③ 고객 만족을 위한 Gold plating 작업을 하는 것
④ 검사보단 예방, 품질의 경영진의 책임, 품질 비용의 관리, 고객 만족

79 Scatter Diagram(산점도)는 몇 가지 요소를 가지고 품질에 대한 영향성 및 연관 관계를 분석하는가?

① 2개 ② 3개 ③ 4개 ④ 5개

80 다음 중 품질 관련에 있어 품질 비용과 관련 재작업(rework)이란 무엇인가?

① 결함이 있거나 적합하지 않은 구성요소를 적합하도록 수정하는 조치들로 시정조치를 포함하며 내부 실패 비용을 수반한다.
② 불량이 조기에 감지된 경우에는 해당 사항 없다.
③ 품질관리 측정치에 근거하여 시행한 조정 활동이다.
④ 특정한 상황에서만 수용 가능하며 비용은 수반하지 않는다.

81 당신은 프로젝트 관리자로 중요한 고객과 Conference를 진행 중이다. 의제가 나올 때마다 한 직원이 이의를 제기하고 심하게 따져 회의가 길어지고 고객이 짜증을 내는 것이 역력하다. 계속 회의를 방해하는 직원을 어떻게 해야 하나?

① 잠깐 회의를 중단시키고 그만 자제하도록 공개적으로 경고 조치를 한다.
② 회의의 휴식 시간이 있을 때 조용히 따로 불러서 문제점을 이야기하고 개선토록 조치한다.
③ 회의 시 의견을 말하는 것은 건전한 비판이므로 그냥 놔두어도 무방하다고 생각되어 별도 조치를 취하지 않는다.
④ 해당 직원의 상사를 불러 문제를 이야기하고 상사가 직원에게 이야기하도록 한다.

82 당신은 프로젝트 관리자이다. 의사소통관리계획에 따르면 공식적인 중요 내용은 Written Document로 처리하게 되어있다. 그러나 팀원들은 문서작성에 어려움이 있어 쉽게 이메일이나 간단한 메모로 대처하려고 한다. 이에 당신은 팀원들과 어떤 방법으로 이 문제를 해결하면 좋겠는가?

① 회피(Avoiding)
② 대결(Confrontation)
③ 완화(Smoothing)
④ 문제 해결(Problem Solving)

83 당신은 프로젝트 관리자로 팀원들의 출퇴근 현황을 늘 확인하고 있다. 이런 부분은 팀원들을 관리할 때 어떤 이론에 따라 관리하는 것인가?

① X-이론
② Y-이론
③ Z-이론
④ 동기부여 이론

84 당신은 회사에서 새로 구성한 ABS 프로젝트의 관리자로 임명되었다. 다양한 부서에서 파견된 직원들은 서로 잘 모르는 관계로 초기에 서먹서먹하다. 이런 경우 당신은 프로젝트 관리자로서 어떤 리더십을 발휘해야 좋겠는가?

① 지시적
② 자유방임적
③ 민주적
④ 지원형

85 허쯔버그(Herzberg)의 동기-위생이론에 의하면 목표 달성에 따른, 표창, 승격 또는 승진이 제공되지 않을 경우 직원들은 어떻게 반응하나?

① 급여가 오르지 않았을 때만 불만족하게 된다.
② 조직과 괴리되어 이직한다.
③ 동기부여가 결여되어 있지만 자신의 일에 불만족하지 않는다.
④ 동기부여가 결여되어 자신들의 일에 불만족하게 된다.

86 당신은 프로젝트 관리자로서 미국, 인도, 독일, 프랑스인 국적인 등을 포함하여 다국적 인원으로 프로젝트를 수행하고 있다. 가상 팀(Virtual Team)을 운영하면서 수시로 확인하면서 프로젝트를 진행하고 있다. 프로젝트는 현재 매우 일정 및 비용 등 목표를 맞추기가 힘겨워 보인다. 당신은 프로젝트 관리자로서 이런 프로젝트 상황에서 프로젝트 성과를 높이기 위해서 해야 할 일 중 가장 우선시해야 하는 것은 무엇인가?

① 프로젝트 목표를 팀원들에게 정확히 인식시키고 기준선과 현재 성과와 차이 식별에 노력한다.
② 의사소통 계획을 다시 확인하고 프로젝트와 관련된 갈등 사항과 팀원들 간의 갈등관리 해결에 노력한다.
③ 리스크 관리계획서를 다시 확인하고 리스크 관리 주기를 강화한다.
④ 이해관계자의 강점 및 약점을 확인하고 핵심 이해관계자들에 대한 대응계획을 실행한다.

87 효과적인 팀 개발(Team building)의 가장 중요한 결과는 무엇인가?

① 개인의 능력을 높이고 team-work를 강화해 전체 프로젝트의 성과를 높이는 것이다.
② 운영조직을 위한 효율적이고 원만하게 운영되는 팀을 만든다.
③ 부분적인 프로젝트 성과를 개선시킨다.
④ 개인 및 팀원으로서 사회에 공헌할 수 있는 역량을 향상한다.

88 다음 중 인적 자원관리 이론의 매슬로우(Maslow) 이론에서 인간의 욕구 중 가장 높은 단계는?

① 생리적 만족 욕구
② 자아실현 욕구
③ 사회참여 욕구
④ 안전욕구

89 프로젝트팀에서 서로 같은 장소에서 일하지 않고, 서로 떨어져서도 한 팀으로서 프로젝트를 수행할 수 있게 하는 것을 의미하는 것은?

① Co-room
② Virtual Teams
③ Matrix organization
④ Teaming agreement

90 당신은 프로젝트 관리자로서 팀원들과 어려운 상황에서 일하고 있다. 그렇다 보니 많은 갈등이 발생하곤 한다. 다음 중에서 갈등 해결방법(Conflict resolution) 중 시간이 가장 많이 걸리지만 가장 효과적으로 추천되는 것은 무엇인가?

① 완화(Smooth)
② 타협(Compromise),
③ 강요(Forcing)
④ 문제 해결(Problem Solve)

91 현재 PM을 포함하여 총 프로젝트팀원이 4명인데 프로젝트 실행 중에 총 10명으로 늘어났다면 총 의사소통 채널 수는 기존 대비 얼마 증가한 것인가?

① 28 ② 35
③ 39 ④ 45

92 최근에 프로젝트 환경에서 회사 내부적으로 Intranet이 설치되어 있어서 당신은 프로젝트 관리자로서 최근 프로젝트 이슈를 공지하였다. 팀원들은 Intranet을 통하여 당신이 보낸 이슈에 대해 검토를 한 다음에 심도 있게 이슈를 논의하기 위해 회의를 잡았다. 그렇다면 회의는 의사소통의 방식에서 어떤 유형에 해당이 되는가?

① Push Communication
② Pull Communication
③ Interactive Communication
④ 위 전부 해당함

93 당신은 프로젝트 관리자로 회의를 하고 있는데 중요한 프로젝트 정보가 사전에 스폰서에 의해 고객에게 흘러가서 아주 난처한 상황에 있다. 이런 상황은 프로젝트에서 무슨 문제 때문에 발생한 것인가?

① 의사소통관리 계획의 문제
② 이해관계자 관리 계획의 문제
③ 인적 자원관리 계획의 문제
④ 프로젝트 헌장의 부실 문제

94 당신의 프로젝트는 범위 변경, 제약, 가정, 통합 및 인터페이스(Interface) 요구사항, 그리고 중첩되는 역할 및 책임 등으로 인해 의사소통 리스크에 봉착했다. 이처럼 의사소통 장애가 발생하면 어떤 현상이 발생하는가?

① 적대감이 증폭된다.
② 도덕적으로 해이하여진다.
③ 생산성이 감소한다.
④ 갈등이 증가한다.

95 프로젝트 관리에서 의사소통 문제 때문에 여러 가지 문제가 발생할 수 있다. 다음 중에서 의사소통이 제대로 안 되어서 나타날 수 있는 가장 일반적인 것은 무엇인가?

① 팀원 간 갈등 또는 고객과의 갈등 발생
② 프로젝트의 예산의 초과 현상
③ 프로젝트 일정의 지연
④ 작업성과 보고서 배포의 지연 문제

96 당신은 프로젝트 관리자이다. 회의 도중에 당신은 팀원 중 한 사람이 부적절한 행동을 하는 것으로 보고 받았다. 이로 인하여 팀원들 간의 의사소통과 불만을 야기하고 있다. 다음 원인 중에서 왜 이런 문제가 발생하였는지의 이유로 가장 타당한 것은 무엇인가?

① 의사소통관리 계획의 문제

② 의사소통관리 배포의 문제

③ 프로젝트 관리자의 리더십 문제

④ 이해관계자 관리 계획의 문제

97 프로젝트 관리자가 4명의 IT System 개발자, 1명의 Software 개발자와 작업을 수행 중에 2명이 전임제로 외부로 지원 나가고 1명이 파트타임으로 들어왔다. 그렇다면 현재 이 조직의 채널 수는 몇 개인가?

① 6　② 8　③ 10　④ 15

98 다음 중 의사소통관리 계획과 관련하여 잘못된 표현은 무엇인가?

① 의사소통관리 계획은 이해관계자들과 가장 효과적으로 그리고 효율적으로 의사소통할 방법들을 식별하고 문서화한다.

② 의사소통관리 계획에 있어 효과적인(effective) 의사소통은 정보가 적합한 양식, 적절한 시점, 적절한 이해관계자에게 전달되는 것이다.

③ 의사소통관리 계획에 있어 효율적인(efficient) 의사소통은 모든 프로젝트에 발생한 문서 등 모든 정보를 빠짐없이 모든 이해관계자에게 공평하게 제공하는 것이다.

④ 의사소통관리 계획은 이해관계자들의 정보 필요성 및 요구사항과 사용 가능한 조직의 자산을 기반으로 프로젝트의 의사소통에 대한 적합한 전략과 계획을 수립하는 프로세스이다.

99 의사소통 기법에서 가장 효율적인 의사소통 방법은 무엇인가?

① Pull Communication
② Push Communication
③ Interactive Communication
④ 설문 조사

100 당신은 프로젝트 관리자이다. 팀원들과의 의사소통이 중요하다는 것을 누구보다도 잘 알고 있다. 당신은 팀원들의 상호 간 의사소통을 더욱 향상하는 방법이 무엇이라고 생각하는가?

① 면담을 통해 개인별 칭찬한다.
② 동일 장소에 팀원들을 위치하게 만든다.
③ 프로젝트 성과 달성에 대한 동기부여
④ 프로젝트 정보시스템을 잘 운영시키는 것

101 리스크 발생 시 Contingency plan을 가동하여 처리하였으나, 대응 방안을 실행한 후에도 리스크가 남아 있는 것을 무슨 리스크라 부르는가?

① 2ndary risks
② Residual risks
③ Workaround
④ High risks

102 프로젝트 리스크 관리에서 일정의 확률을 높이기 위해 빠른 종료 시에 성과급을 주기로 하고 외주업체에도 성과급을 주면서 빨리 일정을 단축하려고 한다. 이런 기법은 리스크의 기회의 대응 전략 중 무엇을 수행한 것인가?

① 활용(Exploit)

② 강화(Enhance)

③ 공유(Share)

④ 수용(Accept)

103 부정적 리스크에 대한 대응 방법으로 제삼자에게 리스크를 떠맡기고 리스크에 대한 보수를 지불(보험 활용, 이행 보증, 각종 보증 및 보장)하는 기법은 무엇인가?

① 회피(Avoid)

② 완화(Mitigate)

③ 전가(Transfer)

④ 수용(Accept)

104 다음 중 리스크 관리 활동에서 확률과 영향 매트릭스를 사용하는 프로세스는 다음 중 어느 것인가?

① 리스크 관리 계획

② 리스크 식별

③ 정성적 리스크 분석 수행

④ 정량적 리스크 분석 수행

105 당신은 프로젝트 관리자로서 팀원들과 같이 프로젝트의 리스크의 감시를 하고 있다. 이에 감시 및 통제의 목적으로 맞지 않는 것은 다음 중 어느 것인가?

① 주기적으로 식별된 리스크를 감시함으로써 발생 시 신속한 조치를 취하게 한다.

② 리스크 관련 예비비 등을 분석하고 미리 예방조치할 수 있는 조치를 취하게 한다.

③ 식별할 수 없는 리스크까지 포함하여 전부 관리함으로써 프로젝트 전반에 걸쳐 건전성을 증가시킨다.

④ 리스크 관리계획에 의해 리스크를 감시하고 통제하여 리스크 발생 시 정해진 대응방법으로 조치를 취한다.

106 당신은 식별된 리스크에 대해 정성적 리스크 분석 수행을 마치고 정량적 리스크 분석을 하고 있다. 관련 리스크의 경우에 발생 확률은 20%이다. 그러나 발생한다면 200,000달러의 손실이 예상된다. 이런 경우 보험가입비용이 20,000달러라면 보험을 드는 것이 바람직한가? 아니면 가입하지 말아야 하나? 그 이유를 포함하여 가장 타당한 것은 다음 중 어느 것인가?

① 보험에 가입한다. 40,000달러 절감이 예상되기 때문에

② 보험에 가입한다. 20,000달러 절감이 예상되기 때문에

③ 보험에 가입하지 않는다. 40,000달러 추가 비용이 예상되기 때문에

① 보험에 가입하지 않는다. 20,000달러 추가 비용이 예상되기 때문에

107 다음은 리스크 관련 용어의 설명이다. 내용이 잘못된 것은 무엇인가?

① 잔여 리스크(Residual risk)는 식별된 리스크에 대해 Contingency plan에 의거하여 대응 조치하였으나 완전히 처리되지 못하고 남아 있는 리스크를 말한다.

② 2차 리스크(2ndary risk)는 식별된 리스크에 대해 Contingency plan에 의거하여 대응 조치하는 도중에 새롭게 발생한 신규 리스크를 말한다.

③ Fallback plan이란 식별되지 못한 리스크에 대한 대응계획으로 Workaround를 시행하였으나 효과가 없을 시 다시 시행하는 2차의 대응계획을 말한다.

④ Risk trigger란 리스크가 발생할 것 같은 전조 및 조짐을 말한다.

108 리스크 관리계획 프로세스 중 리스크 심각성을 고려하여 우선순위를 정하는 프로세스는 무엇인가?

① 리스크 대응 계획
② 리스크 식별
③ 정성적 리스크 분석 수행
④ 정량적 리스크 분석 수행

109 당신은 시스템 갱신을 마무리한 후에 팀원들과 함께 이번 프로젝트에 대한 교훈을 정리하였다. 그 결과 자원의 불규칙한 투입으로 인해 비용이 23%정도 초과하였다는 사실을 발견하였다. 당신은 지금 다시 새로운 프로젝트를 시작하려고 한다. 이때 당신이 먼저 해야 할 일은 무엇인가?

① 리스크 관리를 위한 체계적인 접근법을 실행한다.
② 프로젝트팀에 합류할 팀원들의 자격증을 검토한다.
③ 자동화된 원가 산정 소프트웨어를 사용한다.
④ 외부 감사팀이 프로젝트를 주기적으로 검토하여 문제 해결 방안을 제공하도록 요청한다.

110 특정 리스크에 대한 책임을 부여받아 관리 대상 리스크에 대하여 관리와 감시 및 통제의 책임이 있는 개인은?

① 리스크 책임자(Risk owner)
② 프로젝트 관리자(Project manager)
③ 프로젝트팀원(Project staff)
④ 스폰서(Sponsor)

111 당신은 지속적으로 오랫동안 귀사에 품질 관련 서비스를 제공해오고 있는 업체와 계약을 하기로 결정하였다. 비록 현재의 프로젝트는 이전의 것들과는 약간 차이점이 있지만, 외주 업체가 수행해야 하는 작업은 과거의 경우와 거의 유사하다. 이러한 상황에서 리스크를 최소화할 수 있는 가장 적절한 계약 방식은 무엇인가?

① Cost-plus award fee

② Firm-fixed-price

③ Fixed-price incentive

④ Fixed-price with economic price adjustment

112 당신은 현재 조달 수행 프로세스를 수행하고 있다. 제안서 작성 전에 잠재적 판매자들과 가지는 회의로 모든 잠재적 판매자들이 조달에 대해 분명하고 공통된 이해를 얻도록 보증하는 것이 목적인 회의를 무엇이라 부르는가?

① Procurement offer

② Bidder conference

③ Advertising

④ Focus meeting

113 조달관리계획 수행(Plan procurement management)의 도구 및 기법으로 직접 자체 개발할 것인지 아니면 기술과 경험이 풍부한 외주 업체에 의뢰할 것인지를 분석하는 것을 무엇이라고 하나?

① Source Selection Criteria

② Expert Judgment

③ Selected Seller

④ Make-or-Buy Analysis

114 프로젝트의 구매조달에 대한 결정사항을 문서화하고 조달 방식을 규정하여 잠재적인 판매자를 식별하는 프로세스로 리스크 완화 및 판매자에게 리스크 전가와 관련하여 사용할 계약 유형도 검토하는 프로세스는 다음 중 어느 것인가?

① 조달관리 계획 수행
② 조달 수행
③ 조달 통제
④ 리스크 대응 계획

115 당신은 프로젝트 관리자로 조달 수행에 관련 중이다. 조달관리에서 실행 프로세스 그룹이 속해있는 조달 수행 프로세스 범위에 해당이 안 되는 것은 다음 중 어떤 것인가?

① Selection criteria의 사용
② Make or buy decisions의 완료
③ RFP(Request for proposal)의 발행
④ 업체의 선정 및 계약 체결

116 구매자(Buyer)에게 있어서 고정가 계약(Fixed price contract)의 장점은?

① 향후 원자재 등 가격 상승 요인들을 공급자(판매자)에게 전가하고 Buyer는 이에 책임지지 않는다.
② 구매자에게 고정가이기 때문에 비용 위험이 있다.
③ 원자재 가격이 인하되면 구매자는 가격 인하를 공급자(판매자)에게 요구할 수 있다.
④ 고정가 계약이므로 조달의 안정성을 유지할 수 있다.

117 당신은 프로젝트 관리자이다. 조달관리 중에 갑자기 한 외주업체에서 뜻하지 않은 자연재해로 인해 시설 일부가 손해를 입어 일정 준수에 문제가 생겨 시설 수리 등을 감안하면 약 제품의 공급을 2개월 지연하게 되었다고 통보하여 왔다. 이런 경우 프로젝트 관리자와 팀원은 어떤 조치를 먼저 취하는 것이 바람직한가?

① 자연재해를 입어서 발생한 부분이니 인정하고 프로젝트 일정을 지연시킨다.
② 일정 변경에 대한 일정 기준선 변경 요청을 정식변경 변경 절차를 통해 진행한다.
③ 다른 업체를 찾아 업체를 변경 또는 이원화 조치를 취한다.
④ 일정 지연으로 인한 영향력을 분석한 후 이에 대한 대안을 분석 후 변경조치를 취한다.

118 당신은 프로젝트 관리자로 외주업체와 계약을 체결한 상태에서 프로젝트 계약을 체결하고 업무를 수행하고 있는데 좀처럼 프로젝트에 회의 참석 및 의사소통 등에 협조적이 아니다. 이런 경우 당신은 프로젝트 관리자로서 어떤 조치를 취하는 게 가장 바람직한가?

① 프로젝트 성과와는 직접 연관이 없으므로 아무 조치를 취하지 않는다.
② 해당 업체가 현재까지 수행된 부분에 대해서 면밀하게 분석한다.
③ 앞으로 어떤 조치를 취하지 않으면 문제가 예상되기 때문에 업체 변경조치를 한다.
④ 업체 경영층을 불러 업체 담당자를 즉시 교체하라고 조치한다.

119 계약의 업체 심사에서 일반적으로 업체의 선정기준에 포함이 되지 않는 것은 다음 중 어느 것인가?

① 기술적인 능력 요구 조건에 대한 판매자의 이해도와 프로젝트 관리 능력 및 방법론
② 사업 규모와 유형 및 구축과 경험 생산능력과 의욕
③ 재무적인 능력과 생애주기 원가 및 지적 재산권 보유 정도
④ 회사에 대한 의존도 및 경영층의 학력 수준

120 당신은 프로젝트 관리자이다. 업체와 계약을 하려고 할 때 다음 중 계약유형 선정과 관련하여 설명이 부적절한 것은 어느 것인가?

① 작업을 바로 시작하고 싶을 때는 Time and material contract가 유리하다.
② 업체의 비용 청구서를 파악할 능력이 부족할 경우에는 원가정산 계약을 취하는 게 좋다.
③ 작업의 내용을 완전하게 알고 관련된 Specification이 확실히 존재하면 고정 계약으로 추진할 수 있다.
④ 어떤 일이 필요한지 결정하는데 전문가의 서비스를 받고 싶을 때는 원가정산계약 방식을 선정하는 것이 좋다.

121 이해관계자(Stakeholder)에 관한 설명으로 맞는 것은?

① 프로젝트팀원만을 의미한다.
② 프로젝트에 영향을 주거나 받는 개인 및 조직을 말한다 .
③ 프로젝트 관리자가 관리하는 핵심적인 사람 또는 조직을 의미한다.
④ 프로젝트에 자금을 공급하는 개인 또는 조직을 의미한다.

122 이해 관계자 분석의 일반적인 순서로 아래 사항 중 가장 먼저인 것은?

① 이해 관계자 강점 및 약점 결정
② 이해 관계자 식별
③ 이해 관계자 분류
④ 이해 관계자 정보 수집

123 당신은 건설 프로젝트를 수행하고 있는 프로젝트 관리자이다. 어느 날 인근 주민들로부터 소음과 진동 및 먼지 등 대한 불만 민원 문제가 발생했다. 그러면서 주민들이 화가 나서 도로를 차단하고 나섰다. 당신은 프로젝트 관리자로서 제일 먼저 무엇을 해야 했나?

① 주민들을 중요 이해관계자로 식별했어야 했다.

② 리스크 관리계획을 잘 세웠어야 했다.

③ 이해관계자들을 권한과 영향력에 따라 중요도를 분류하고 적절한 대응을 해야 했다.

④ 리스크 대응계획에서 부정적 리스크의 대응계획을 수행했어야 한다.

124 프로젝트 관리에서 이해관계자들을 잘 식별하고 관리하는 것은 중요하다. 당신은 프로젝트 관리자로서 프로젝트의 이해관계자를 정의할 때 다음 설명 중 틀리게 설명한 부분이 포함된 것은 어느 것인가?

① 이해관계자 간 이해관계에 따라 사안 별 의사 충돌이 발생할 수 있다.

② 스폰서는 프로젝트 자금지원의 권한을 가지고 있다.

③ 프로젝트팀원은 중요한 이해관계자에 포함된다.

④ 프로젝트 수행 시 팀원의 비용과 시간의 수준은 주로 종료 프로세스 그룹에 가장 많은 투입을 하게 된다.

125 당신은 지금 프로젝트 이해관계자를 식별하기 위해 노력하고 있다. 다음 중 이해관계자 범위에 포함되는 대상으로 가장 적절한 것은?

① 프로젝트에 대해 알고 있으며 이를 지원해 주는 사람들

② 프로젝트에 관한 책임이 있는 사람들

③ 고객 및 프로젝트팀

④ 프로젝트에 긍정적 혹은 부정적으로 영향을 미치거나 영향을 받을 수 있는 사람들

126 프로젝트 목표 달성을 위해 회사 조직의 스폰서에 배정된 사람으로 프로젝트 관리 계획을 개발하고 팀을 관리하고 갈등을 중재하는 사람을 무엇이라 부르는가?

① 프로젝트 관리자

② 스폰서

③ PMO

④ Arbitrator(중재자)

127 프로젝트 관리에서 이해관계자들을 잘 식별하고 관리하는 것이 중요하다. 당신은 프로젝트 관리자로서 프로젝트의 이해관계자를 정의할 때 다음 설명 중 틀린 부분은 어느 것인가?

① 프로젝트팀원의 의견과 상충될 수 있다.

② 프로젝트의 성과의 이익을 가질 수도 있다.

③ 프로젝트팀원도 중요한 이해관계자에 포함된다.

④ 프로젝트의 수행 시 주로 감시 및 통제에 가장 많은 시간과 노력을 하며 성과물에 대한 인수를 가장 중요시한다.

128 프로젝트에 모든 이해관계자를 참여시키는 목적은 프로젝트에서 어느 부분이 가장 중요하기 때문인가?

① 프로젝트 일정, 산출물, 그리고 모든 요구사항을 결정한다.

② 프로젝트의 산출물을 정의하고 제약사항과 제품 산출물을 결정하는 데 도움이 된다.

③ 프로젝트에 대한 자원 요구와 자원 제약을 결정한다.

④ 가정 사항, WBS 및 관리 계획을 제공하는 데 도움이 된다.

129 당신은 ABS 회사의 프로젝트 관리시스템의 PMS 사이트 개발을 관리하기 위해 프로젝트 관리자로 임명이 되었다. 이 사이트는 매우 복잡하고 상호 작용될 것이며, 당신의 프로젝트팀 및 고객 또한 이런 부분에 경험이 많지 않다. 개발 일정에 여유가 없으며, 만일 지연이 된다면 당신의 회사와 ABS 회사에 비용이 증가될 것이다. 당신은 스폰서를 가지고 있고 이미 프로젝트 헌장에 공식 서명하였고 프로젝트 관리 계획에 동의하였다. 고객의 인사부에서는 프로젝트의 진행 보고서와 정기적 회의를 통하여 정보를 얻고 있으며, 이 프로젝트는 일정과 비용을 잘 준수하고 있다. 이제 마지막으로 공식적인 인수 검토가 예정되었다. 갑자기 당신은 개발된 인도물을 전체적으로 인수할 수 없으므로 그동안의 모든 노력이 취소될 수 있을 것이라는 소식을 들었다. 이런 상황이 발생한 원인은 무엇인가? 가장 적절한 것을 고르시오.

① 핵심 이해 관계자가 프로젝트에 포함이 안 되어 있었다.

② 프로젝트 헌장과 프로젝트 관리계획이 충분하게 설명이 되어 있지 않고 그것들이 고객에 의해 적절하게 검토가 되지 못하였다.

③ 의사소통 관리가 적절하지 못하였고 관련된 이해관계자들이 요구하는 정보를 제공하지 못하였다.

④ 프로젝트 스폰서가 프로젝트에 대해 충분한 지원을 하는 데 실패했다.

130 당신은 프로젝트 관리자이다. 프로젝트 헌장 승인이 이루어진 다음에 당신은 팀원들과 함께 관련 이해관계자들을 만나 프로젝트에 관해 묻고 피드백을 받는다. 현재 당신은 어떤 활동을 하는 것인가?

① 이해관계자 식별 후 요구사항 수집 활동을 하고 있다.

② 범위를 정의하고 있다.

③ 리스크 대응계획을 하고 있다.

④ 의사소통 관리를 하고 있다.

131 당신은 프로젝트 관리자이다. 하루빨리 프로젝트 예산을 결정하고자 한다. 예산은 어느 프로젝트 관리 프로세스 그룹에서 만들어지는가?

① 착수 프로세스 그룹
② 기획 프로세스 그룹
③ 실행 프로세스 그룹
④ 감시 및 통제 프로세스 그룹

132 다음 중 프로젝트의 계획과 관련하여 특징을 대표적으로 잘 나타낸 표현은 무엇인가?

① Gold plating
② Progressive elaboration.
③ Risk Management
④ WBS(Work Breakdown Structure)

133 프로젝트 조직(Projectized organization)의 특징을 잘 나타낸 것은 다음 중 어느 것인가?

① 보고해야 하는 많은 상사가 있다.
② 프로젝트 목표에 대한 충성도가 떨어진다.
③ 보고체계가 수직적 수평적으로 이중 보고한다.
④ 프로젝트가 끝나면 조직이 해체된다.

134 당신은 다른 사람과 이야기를 하고 있는데 그는 기능조직에서 일하면서 한 프로젝트의 일을 지원하고 있다고 한다. 그렇다면 기능 조직에서 일하는 경우에 누가 기능 조직 팀원들에 대해 일을 시킬 수 있는 권한을 가지고 있나?

① 프로젝트 관리자

② 기능 부서장

③ PMO

④ 스폰서

135 Projectized 조직에서 가장 누가 권한이 큰가?

① 프로젝트 관리자

② 기능 부서장

③ 팀원

④ 프로젝트 조정자

136 프로젝트의 특징을 나타낸 것 중에서 잘못된 표현은 다음 중 어느 것인가?

① 일시적이다.

② 시작과 끝이 있다.

③ 유일하다.

④ 지속 반복된다.

137 프로젝트 교훈(Lessons Learned)이 수집되는 대상은 누구인가?

① 프로젝트 관리자

② 프로젝트팀

③ 스폰서

④ 이해관계자

138 프로젝트에서 프로젝트 헌장은 매우 중요하다. 타당성 검토를 포함하고 프로젝트 목표를 명시했기 때문이다. 그렇다면 프로젝트 헌장은 어느 프로젝트 관리 프로세스 그룹에서 생성되는가?

① 착수

② 기획

③ 실행

④ 감시 및 통제

139 다음 중 착수 프로세스 그룹의 입력물로 들어가지 않는 것은 어느 것인가?

① 비즈니스 문서

② 프로젝트 헌장

③ 편익 관리계획서

④ 이해관계자 관리대장

140 프로젝트 스폰서는 프로젝트 헌장을 승인했다. 당신은 프로젝트 관리자로서 다음에 수행해야 하는 것은 무엇인가?

① Activity를 찾기 시작한다.
② Work package를 완료한다.
③ 프로젝트 범위를 정의한다.
④ 이해관계자를 식별하기 시작한다.

141 개략적인 수준의 프로젝트 일정 제약은 결정되었다. 현재 당신은 무슨 프로젝트 프로세스 관리 그룹에서 일하고 있는가?

① 착수 프로세스 그룹
② 기획 프로세스 그룹
③ 실행 프로세스 그룹
④ 감시 및 통제 프로세스 그룹

142 프로젝트 관리자는 팀원으로부터 프로젝트 제품의 성능 기준과 실제 측정치 사이에 편차가 발생하고 있다고 보고 받았다. 프로젝트 관리자는 초기 계획단계에서 이런 부분이 식별되지 못했는지에 대해 당황하였다. 현재 프로젝트 관리자가 차이 식별을 통해 문제를 인지하고 있는 단계라면 현재 어떤 프로세스 그룹에서 일하고 있는 것인가?

① 착수 프로세스 그룹
② 기획 프로세스 그룹
③ 실행 프로세스 그룹
④ 감시 및 통제 프로세스 그룹

143 팀원이 프로젝트 관리자에게 보고하기를 Scope baseline과 비교하여 작업성과 데이터의 Work package의 실제 결과가 차이를 보여 이에 대한 시정조치가 필요해 보인다. 프로젝트 관리자는 어떤 프로세스 그룹에서 이에 대한 대응 조치를 취해야 하는가?

① 착수 프로세스 그룹
② 기획 프로세스 그룹
③ 실행 프로세스 그룹
④ 감시 및 통제 프로세스 그룹

144 프로젝트의 활동 중에 대부분의 프로젝트 시간과 자원을 소요하는 그룹은 일반적으로 어떤 프로젝트 관리 프로세스 그룹인가?

① 착수 프로세스 그룹
② 기획 프로세스 그룹
③ 실행 프로세스 그룹
④ 감시 및 통제 프로세스 그룹

145 프로젝트 종료 프로세스 그룹에서 수행되는 것이 아닌 것은 다음 중 어느 것인가?

① Claim 및 payment와 관련된 미해결 사항을 정리한다.
② Lessons Learned를 최종 정리한다.
③ 조직 프로세스 자산에 프로젝트 문서 등을 저장한다.
④ 인도물에 대한 인수 결정을 한다.

146 프로젝트에서 수행된 일들이 측정되고 분석되는 것은 어떤 프로세스 그룹에서 행하여지는가?

① 착수 프로세스 그룹
② 기획 프로세스 그룹
③ 실행 프로세스 그룹
④ 감시 및 통제 프로세스 그룹

147 프로젝트에서 의사소통을 위한 주요 원동력으로 필요한 것은 어느 부분인가?

① 통합관리
② 원가관리
③ 일정관리
④ 자원관리

148 다음 중 프로젝트 관리계획의 구성요소를 잘 설명한 것은 어느 것인가?

① WBS(Work Breakdown Structure)
② 모든 하부 계획 및 범위 기준선, 일정 기준선, 원가기준선
③ 프로젝트 일정
④ 프로젝트 범위 기술서

149 프로젝트 헌장의 개발에 대한 설명 중 가장 올바른 것은 무엇인가?

① 스폰서가 프로젝트 헌장을 만들고 프로젝트 관리자가 승인한다.
② 프로젝트팀은 프로젝트 헌장을 만들고 PMO가 승인한다.
③ 경영층이 프로젝트 헌장을 작성하고 기능 관리자가 승인한다.
④ 스폰서와 프로젝트 관리자가 같이 협의하여 프로젝트 헌장을 작성하고 스폰서가 승인한다.

150 프로젝트 실행 프로세스 그룹에 속하는 프로세스들에서 수행되는 활동에 속하지 않는 것은 다음 중 어느 것인가?

① 조달계약을 목적으로 조달 작업 기술서를 판매자에게 발송한다.
② 승인된 변경 요청사항을 실행한다.
③ 팀원을 교육하고 팀 사기를 진작시킨다.
④ 프로젝트 변경 요청사항의 승인 및 거부 활동을 한다.

1회 정답 및 해설

1	2	3	4	5	6	7	8	9	10
②	②	④	④	④	①	①	④	③	④
11	12	13	14	15	16	17	18	19	20
③	①	③	①	①	②	②	④	①	②
21	22	23	24	25	26	27	28	29	30
②	②	③	②	③	③	④	④	③	②
31	32	33	34	35	36	37	38	39	40
③	④	②	④	④	④	①	③	①	②
41	42	43	44	45	46	47	48	49	50
③	④	①	③	①	③	①	①	①	②
51	52	53	54	55	56	57	58	59	60
②	③	②	④	③	①	④	②	③	①
61	62	63	64	65	66	67	68	69	70
③	②	②	③	③	③	①	③	①	②
71	72	73	74	75	76	77	78	79	80
①	③	①	②	①	④	③	④	①	①
81	82	83	84	85	86	87	88	89	90
④	④	①	①	④	②	①	②	②	④
91	92	93	94	95	96	97	98	99	100
③	③	①	④	①	①	③	③	③	②
101	102	103	104	105	106	107	108	109	110
②	①	③	③	③	②	③	③	①	①
111	112	113	114	115	116	117	118	119	120
②	②	④	①	②	①	④	②	④	②
121	122	123	124	125	126	127	128	129	130
②	②	①	④	④	①	④	②	①	①
131	132	133	134	135	136	137	138	139	140
②	②	④	②	①	④	④	①	④	④
141	142	143	144	145	146	147	148	149	150
①	④	④	③	④	④	①	②	④	④

01 정답 ②

관련된 프로젝트를 같이 진행하여 시너지 효과를 만드는 것이 프로그램 관리(Program management)이다. 소규모 프로젝트에서는 거의 사용하지 않는다.

02 정답 ②

프로젝트 단계(Phase)는 프로젝트 생애주기에서 프로젝트를 효과적으로 관리하기 위해 필요성에 의해 나눈 것으로 단계의 끝에는 반드시 산출물이 나온다. 작은 Sub-project라고도 하며 착수/기획/실행/종료의 프로세스 그룹 활동이 단계 내에 포함된다.

03 정답 ④

조직의 전략적 비즈니스 목표들을 달성하는 작업의 효과적 관리를 촉진하기 위하여 프로젝트들, 프로그램들, 기타 작업을 모아서 관리하면서 회사 차원에서 투자 순서 등을 정하고 자원을 통합 관리하는 것이 포트폴리오 관리(Portfolio management)이다.

04 정답 ④

프로그램은 프로젝트의 관리를 포함하며 프로그램 자체 문제도 해결한다. 그러나 전사조직의 통합은 포트폴리오 관리 차원으로 보아야 한다.

05 정답 ④

프로젝트의 주요 특징을 먼저 이해해야 한다. 프로젝트는 일시적이다. 따라서 "반복적이며 끝이 나지 않는다."는 것은 틀리다.

06 정답 ①

프로젝트 관리는 프로젝트 요구사항을 충족시키도록 필요한 지식, 기량, 도구, 기법 등을 활동에 적용하는 것을 말한다.

07 정답 ①

둘 다 사람이 하는 일로 프로젝트는 고유의 산출물을, 운영 업무는 지속적이고 반복적인 산출물을 만든다.

08 정답 ④

프로젝트 정의에서 "유일한 제품, 또는 서비스를 창출하기 위하여 취해지는 한시적인 활동이다."라고 명시하였다. 한시적이라 함은 프로젝트는 "시작과 종료가 있다."를 의미한다. ④번처럼 유사한 일을 반복하는 활동은 '운영(Operation)이라고 한다.'의 정의 및 제약사항 및 제품 산출물에 대한 부분을 결정한다.

09 정답 ③

단계의 종료도 프로젝트 종료에 포함된다.

10 정답 ④

Supportive(지원형)는 컨설팅의 역할을 하며 템플릿의 제공, 모범 관행의 개발, 훈련의 제공, 다른 프로젝트로부터의 정보/교훈 사항을 제공하는 Project repository 역할을 한다. Controlling

11 정답 ③

중간(균형)(Balanced matrix) 조직구조에는 직원은 기능 부서장에게는 평상의 운영 작업 관련된 업무 보고를 해야 하고 프로젝트 관리자에게는 프로젝트와 관련된 업무 보고를 해야 하므로 이중 보고의 문제점이 있다. 직원은 항시 두 가지 업무체계로 근무하기 때문에 항상 바쁘고 업무량이 많다. 회사에서는 자원 운용의 극대화라는 측면이 이점이 있다.

12 정답 ①

프로젝트화 조직(Projectized organization)에서 프로젝트팀은 프로젝트에 대한 충성도(Loyalty)가 있지만, 프로젝트 종료 후에는 돌아갈 곳이 없다는 단점이 있다. 보고체계가 프로젝트 관리자와 기능 부서장으로 이원화되어 있는 조직은 Balanced matrix 조직이다.

13 정답 ③

지역에 한정되면서 대규모 프로젝트를 할 경우에는 Co-location이 원칙이다. 즉 프로젝트 조직으로 복잡한 대규모 프로젝트를 수행하여야 가장 효과적이다. 그래야 모든 자원이 동시에 프로젝트 업무에 투입되며, 프로젝트 관리자는 많은 독립성과 권한을 부여받는다.

14 정답 ①

매트릭스 조직은 권한의 모호함으로 발생하는 책임과 권한의 구분 문제이다. Weak matrix 조직구조에서는 FM(Functional manager: 기능 관리자)에게, Strong matrix 조직구조에서는 PM이 권한을 더 갖기는 하지만 Balanced matrix 조직구조는 기능 관리자와 프로젝트 관리자가 권한을 나눠 갖기 때문에, 이로 인한 책임과 권한에 대한 구분과 관련된 갈등이 유발된다.

15 정답 ①

매트릭스 조직의 큰 단점은 팀원들의 이중 보고 문제이다. 약한 매트릭스 경우는 프로젝트 관리자가 없고 조정자의 역할로 기능 부서장 밑이 속한다. 따라서 책임과 권한이 분산되고 이중 보고 및 자원의 사용이 양분되는 상황에서는 어떻게 효율적으로 통합적으로 관리할 수 있는가 하는 것이 이슈가 된다. 따라서 매트릭스 조직구조에서는 통합관리 부분이 매우 중요하다.

16 정답 ②

팀원의 입장에서는 다른 부서로 전출 가지 않고 현 부서에서 일을 하기 때문에 보직의 안정성이다. 물론 하는 일은 힘들 수가 있다. 보스(Boss)가 기능 부서장과 프로젝트 관리자로 2명이다. 따라서 보고도 각각 해야 된다. 보고체계에 따라 의사소통 문제가 나타날 수 있고 일의 우선순위를 정할 때도 혼란스럽다. 이런 부분은 무엇이 우선인지 잘 파악하여 환경에 맞게 슬기롭게 헤쳐나가야 한다.

17 정답 ②

Project expeditor(촉진자)는 의사결정권이 없지만, Project coordinator(조정자)는 약간의 의사결정권이 있다. 그러므로 Project expeditor에 비해 Project coordinator는 더 많은 의사결정권이 있다.

18 정답 ④

제품 생애주기가 일반적으로 프로젝트 주기보다 광범위하다.

19 정답 ①

PMO는 프로젝트의 상위 수준으로 관리하며 프로젝트 간 자원관 등 전체적인 의사소통 및 경영층에 프로젝트의 중요사항 등을 보고하는 데 있다.

20 정답 ②

②를 제외한 부분은 조직 프로세스 자산의 Template 및 표준에 관한 것들이다. 지식 관련된 조직 프로세스 자산은 프로젝트를 진행하면서 생긴 결과물이 축적된 것들이다.

21 정답 ②

품질 통제를 완료했으므로 범위 확인을 거쳐 인도물을 인수하게 해야 한다. ②번을 제외하고는 전부 프로젝트 종료 프로세스 단계에서 일어나는 활동이다.

22 정답 ②

문제에서 통합자로의 역할을 묻는 것이므로, 통합자로서 PM의 역할은 모든 팀 멤버들을 하나의 응집력 있는 전체로 두는 것이 가장 적절하다.

23 정답 ③

프로젝트 관리자로서 중요한 자격 요건은 이해관계자와 Negotiation skill, 실무에 대한 지식의 탁월함과 보고 능력도 중요하지만, 무엇보다도 이해관계자들의 요구사항에 균형을 유지하면서 프로젝트 목표를 준수하는 능력이다. 즉 이해관계자들을 잘 관리하면서 일을 잘할 수 있는 능력이다. Balancing the competing project constraints which includes scope, schedule, cost, quality, resources, Risks etc

24 정답 ②

프로젝트 이해관계자 관리 부분에서 프로젝트 관리자에 대한 신뢰감 상실은 프로젝트 관리 전체에 악영향을 미치는 요소로 팀 단결에 영향을 미친다. 다른 요소들로는 팀원 간 불건전한 경쟁, 프로젝트 진행 관련 비생산적인 회의 등이 있다.

25 정답 ③

중대하고 큰 대형 프로젝트를 위한 프로젝트 관리자를 선발할 때는 의사소통 능력과 전체 통합관리 능력이다. 도덕성은 사실 기본적으로 갖추어야 한다.

26 정답 ③

실행 프로세스 그룹에 속해있는 프로젝트팀의 획득/개발/관리 부분에서 팀원 배정 및 동기부여, 문제 해결 검사가 일어난다.

27 정답 ④

프로젝트 관리계획이 점차 상세해지는 것을 전문 용어로 '연동 기획(Rolling wave planning)'이라 한다. 이는 기획이 반복적이고 지속적인 노력이라는 것이다.

28 정답 ④

원가와 기간만 맞추었다고 프로젝트가 성공한 것은 아니다. 프로젝트 범위에 대한 이해관계자 요구사항과 조직의 프로세스 및 문화를 유지하면서 적절한 프로세스(Tailoring)와 정의된 프로세스 접근으로 수행하는 것이 중요하다.

* 용어(Tailoring): 프로세스를 조직의 규모에 맞게 조절하는 작업이다. 작은 조직은 정의된 47개 프로세스를 전부 지킬 수 없을 수도 있다. 따라서 이에 대한 Process를 단순화하는 작업이 필요하다. 이러한 노력을 "Tailoring 한다."라고 한다.

29 정답 ③

교훈 정보를 수집하는 것은 팀 활동으로 만들어지는 것인데 각 프로젝트에서 작성된 교훈사항은 다음의 프로젝트에 반영하여 효율적인 프로젝트 수행에 도움을 주기 때문이다.

30 정답 ②

기능 조직에는 책임자로 기능관리자(Functional manager)가 존재한다. 프로젝트 관리자는 강한 매트릭스 조직에서 나타나게 되며, 중간(균형) 매트릭스 조직에서는 자신의 일과 프로젝트를 동시에 수행하게 된다. 프로젝트 전담조직은 프로젝트 종료 후 팀원들의 할 일이 없어진다는 단점을 가진다. 일부는 기능 조직으로 복귀할 수 있지만 반드시 전부 복귀가 전제되어있지는 않다.

31 정답 ③

프로젝트 헌장(Project charter)에는 프로젝트 관리조직의 지정(즉 PM의 임명)에 대한 요건이 지정되어야 한다.

32 정답 ④

변경 요청 시 통합 변경 통제를 통해 정식적인 변경 절차를 수립하고 변경내용의 문서화 및 추적 시스템, 버전 관리 등의 철저한 유지관리를 위해서다.

33 정답 ②

통제 프로세스는 기준과 실적을 투입하여, 실적이 안 좋으면 변경 요청을 통해 개선을 하고, 작업성과 데이터를 측정하여 나온 작업성과정보가 나온다.

34 정답 ④

승인된 변경이 제대로 실행되었는지를 재확인하기 위해, 승인된 변경 요청은 품질통제 프로세스에서 검사를 통해 확인되고 조달통제 프로세스로도 들어가서 승인된 변경 요청은 조달작업 기술서를 포함하여 계약의 내용을 변경할 수 있다.

35 정답 ④

모든 승인된 변경요청 내용은 품질통제 프로세스 입력물로 투입되어 변경된 내용이 시정조치가 되어 들어오는지 철저히 검사하는 데 사용된다. 왜냐하면 변경 요청에 의한 시정조치는 문제가 있어 발생한 경우가 많으므로 똑같은 문제가 발생하지 않도록 확실히 검사하여 예방하여야 하여야 한다. 그래서 품질 통제에서 검증을 한다. 외부 인도물에 대한 승인된 변경요청은 조달 통제 프로세스에 입력이 되어 계약조항 등에 들어 있는 조달 기술서, 가격, 기타 제품의 특징, 결과, 서비스에 영향이 미치는지 확인하여야 한다.

36 정답 ④

프로젝트 헌장은 단계별 비즈니스 needs를 재검토하게 되며 갱신된 부분을 승인받고 변경할 수 있다. 프로젝트 진행 후 또다시 헌장을 승인받지는 않고 그 안에 있는 비즈니스 타당성 부분만 다시 승인받는 의미이다.

37 정답 ①

프로젝트를 수행하면서 실패한 내용/성공한 사례 등을 잘 요약하여 만들어 놓은 문서가 Lessons learned이다. 조직 프로세스 자산인 Database에 저장해 놓는다. 그 이유는 다음 프로젝트에서 선례 정보를 이용하여 원가정보/일정정보 및 중요한 프로젝트 정보를 참조하여 프로젝트 성공확률을 높이기 위한 것이다.

38 정답 ③

문제가 예상되면 관리자나 팀과 협의도 해야겠지만, 여기에서 묻는 것은 더욱 더 구체적인 답변을 요구하는 것이다. 이미 획득가치 성과 분석을 통해서 이미 프로젝트 중 후반에 비용 초과의 결과를 가져올 것이라는 분석이 나왔기 때문에 대안을 찾아보는 것이 적절하다.

39 정답 ①

프로젝트에 대한 모든 기술적인 업무가 종료되었다는 것은 고객과의 인도물 인수 승인까지 완료된 것을 의미한다. 따라서 이제는 그동안 정리해 온 교훈 작성(Lessons learned)을 마무리하고 보관하는 것이다. 그리고 팀 해체에 따른 문제를 정리하는 것이다.

40 정답 ②

이유는 작업자가 투입되면 어느 정도 작업자 수에 비례하여 생산성이 올라가다가 계속 많아지면 서로 간의 간섭 및 공간 중복으로 방해를 받아 생산성이 떨어진다. 그래서 적정성 유지가 중요하다.

41 정답 ③

Scope creep은 문자 그대로 살금살금 범위를 조용히 증가시키는 것으로, 만일 방치하면 비용/일정 증가 및 인수거부 등이 나타날 수 있는 프로젝트 실패의 원인이 된다. 프로젝트 관리자는 변경 통제 등을 통해 작은 변경사항도 철저히 감시하고 Scope creep이 발생하지 않도록 미리 예방조치(교육) 등을 하여야 한다.

42 정답 ④

범위 확인을 통과한 인도물은 인수된 인도물이라 하며, 바로 종료 프로세스로 보내진다.

43 정답 ①

통제 계정은 유사한 Work package를 모아서 상위 수준의 시점에서 조직으로 회계와 연계 코드 등을 통해 비용 및 일정을 효과적으로 통제하는 데 목적이 있다.

44 정답 ③

③번은 품질 통제에 관한 내용이다. 범위 확인은 인도물의 정식 인수를 이끌어 내는 과정으로 이해관계자의 요구사항을 확인하여 검사하는 프로세스이다.

45 정답 ①

프로젝트 범위 기술서는 중요한 문서이다. 요구사항을 잘 정리한 문서로 이것을 바탕으로 WBS(Work breakdown structure)가 만들어진다. ②번의 설명은 프로젝트 차터(헌장)를 설명한 것이고, ④번의 설명에서 제품의 기능 설명 부분은 맞지만, 품질의 목표 및 프로세스 개선 부분은 품질관리 영역에서 수행해야 하는 활동이다.

46 정답 ③

프로젝트가 거의 완료되어 가고 있을 때, 고객이 작업에 대한 범위 변경을 요구하였다면 프로젝트 관리자는 변경에 따르는 영향(Impact)을 먼저 고객에게 알려야 한다. 그럼에도 불구하고 고객이 강력하게 변경 요청을 할 경우 정식 변경 절차를 따르도록 한다.

47 정답 ①

이 문제는 3가지 중요한 부분이 나온다. 회의 시 강력한 리더십, 정식변경 관리절차의 중요성 강조하였다. 그러나 범위 관리의 중요성을 제일 강조하였다. 프로젝트의 범위관리는 all the work, only the work, 즉 모든 일을 빠짐없이 하되, 반드시 정해진 일만 해야 하는 것, 즉 WBS(Work breakdown structure)에 정한 일을 하는 것을 해야 함을 강조하고 있다.

48 정답 ①

WBS(Work breakdown structure)는 전체 범위를 나타내는 것으로 고객과의 커뮤니케이션에 가장 중요한 기준이 된다.

49 정답 ①

WBS(Work breakdown structure)는 모든 작업 범위를 가지고 있으며 각 Work package가 어떤 내용이고 어떻게 구성되었는지를 분석하면 리스크 식별에 용이하다.

50 정답 ②

프로젝트 종료 단계에서 심각한 범위 변경은 받아들이기에 불가하다. 따라서 이런 경우에는 고객의 요구대로 일을 수행하였기에 일단 이번 프로젝트는 종료하고, 추가 별도의 계약으로 추진하는 것이 합당하며 그에 따른 팀원의 새로운 투입이 필요하다. 기존 프로젝트팀원을 계속 일방적으로 잔존시킬 수는 없다.

51 정답 ②

프로젝트 일정 네트워크도(Project schedule network diagrams)는 PDM처럼 활동들 간의 연관성을 도식화한 문서이다. 활동 간의 연관성은 그림으로 표현하는 것이 가장 좋으며, 연결된 그림을 크게 놓고 보면 마치 망(Network)처럼 보여서 네트워크(망)라고 한다.

52 정답 ③

여기에서는 Critical path method를 찾고 Float 부분을 확인하여야 한다. Float는 CPM이 아닌 연결 부분에서 나온다. Float(Slack)는 전체 일정을 지연시키지 않고 단위 활동을 줄일 수 있기 때문이다. 상기 그림에서 나올 수 있는 Path는 4가지가 나온다.

A-B-C-D-E-K= 2+3+5+2+4+5= 21
A-B-C-D-H-J-K= 2+3+5+2+6+5= 23
A-B-F-H-J-K= 2+3+4+2+6+5= 22
A-B-I-J-K=2+3+12+6+5= 28

여기서 CPM은 A-B-I-J-K이다. 따라서 A-B-K는 공통 Path이므로 제외가 되고 I는 CPM상에 있으므로 정답은 보기 중에서는 F이다.

53 정답 ②

감시 및 통제 프로세스 그룹에 속하는 일정 통제 프로세스에서 실적의 기준이 되는 것은 일정 기준선(Schedule baseline)이다.

54 정답 ④

프로젝트 네트워크 다이어그램은 프로젝트의 활동과 각 활동 간의 논리적인(의존) 관계를 도식적으로 나타내는 것이다. Finish to Start와 의존성의 Mandatory dependency와 FS의 의미는 유사하나 속성이 다르기 때문에 똑같다고 볼 수는 없다. 강제적 의존성은 선행활동이 끝나고 다음 활동이 시작되어야 하는 강제적인 의존 관계를 나타낸다. 그래서 "Hard logic"이라고 부른다.

55 정답 ③

여기서 Float나 Slack은 전체 일정을 지연시키지 않고 가질 수 있는 단위 활동이 가지고 있는 여유시간이다. 일반적으로 Float는 non-critical path에서 발생한다.

56 정답 ①

선도 및 지연시간(Leads and lags)은 논리적 의존관계에서 후행 공정을 선행 공정과 연결 시 선도(Leads), 또는 지연시간(Lags)의 설정이 필요할 수 있다. 만일 FS-3으로 표현한다면 후행 활동을 3일 당겨서 시작한다는 것으로 표현될 수 있다 즉 현재 활동이 끝나기 3일 전에 후행 공정이 앞당겨서 시작됨을 의미한다. 거꾸로 FS+3은 후행 공정이 선행 공정이 끝나고 3일 후에 시작됨을 나타낸다. 일반적으로 지연은 건설에서 시멘트의 숙성 시간을 고려한다든지, 제빵에서 빵이 숙성된 다음 빵을 굽는 등 어느 정도 시간을 기다릴 필요가 있을 때 표현된다.

57 정답 ④

Milestone 차트는 외관상 간트차트(Gantt chart)와 유사하나 주요 작업의 완료 시점을 나타내고, 관리하므로 큰 일정 관리로 보면 된다. 마일스톤 차트는 경영진과 고객에게 보고하기에 좋은 방식의 의사소통방식이다.

58 정답 ②

Duration estimate=(O+4×ML+P)/6이므로 (10+ 4×14+20)/6=14days
이번 정답은 Mist Likely 값과 같게 산출되었으나 대부분의 분석 시에는 비관치가 유세하므로 베타분포를 보이고 Mean value가 Most likely보다 높게 나오는 경향이 많다.
PERT는 Beta distribution(베타 분포)을 사용하는데, 주로 3가지의 산정 기간을 사용한다.
그 3가지는 Optimistic(낙관치), Most likely(예상시간, 일반적), Pessimistic(비관치)이다. 가중평균값(Weighted average)은 기대평균값(Expected mean value)이라고도 한다.
가중평균값=(Optimistic+4+Most likely+Pessimistic)/6이며,
편차(Deviation)=표준편차(SD:시그마)=Pessimistic-Optimistic)/6이다.
PMBOK 6판에서는 PERT 부분이 강조되어 나와 있지 않지만, 실제 기업에서 R&d 분야의 일정관리에 사용되는 중요한 도구이므로 알 필요가 있다.

59 정답 ③

의무적 의존성(Mandatory dependencies)은 건설에서 기초공사를 끝내야 상부 건물을 세울 수 있듯이 반드시 따라야 하는 관계. Hard logic이라고도 한다.
-임의적 의존성(Discretionary dependencies): 과거의 Best practice같이 프로젝트 팀에서 선호하는 임의의 연관관계이며, Preferred logic, preferential logic, soft logic이라고도 한다.
-외부적 의존성(External dependencies): 프로젝트 활동과 프로젝트가 아닌 활동 간의 연관성. 예를 들면 건설 프로젝트에서 건설을 시작하기 전에 환경 공청회를 열어야 하는 경우이다.

60 정답 ①

FS-3 days 의미는 Lead에 해당한다. Finish-start이기 때문에 뒤에 있는 활동이 앞 활동이 끝나기 전에 3일 먼저 시작하라는 의미이다.

61 정답 ③

Project life cycle뿐만 아니라, Product life cycle까지 고려해야 한다는 의미로 이해하면 된다.

62 정답 ②

CPI와 SPI가 1 이하일 때는 문제가 있는 것이고 1 이상일 때는 양호한 상태이다. CPI=0.95는 비용이 5% 초과되고 있으므로 분석을 하고 조치를 취하여야 한다.

63 정답 ②

프로젝트가 SPI 1.1과 CPI 0.9를 가지고 있다면, 이걸로 보아서는 일정은 단축이나 비용 성과는 좋지 못하다. ④번이 유사한 발생원인으로 볼 수 있다.

64 정답 ③

계획가치(Plan Value)=50억 실제 원가(Actual Cost)=47억 획득가치(Earned Value)=45억
SV(일정 차이)=현재 한 일의 가치 비용(EV) – 실제로 예상했던 예산(PV)=45–50=–5억
CV(원가 차이)=현재 한 일의 가치 비용(EV) – 실제로 사용한 비용(AC)=45–47=–2억
SPI=45/50=약 0.9(〈1이므로 별로) ---- 일정 지연 10%
CPI=45/47=약 0.96(〈1이므로 별로) ---- 비용 초과 4%

65 정답 ③

EAC = BAC/CPI(현재 상황이 프로젝트 마지막까지 이어질 것으로 예상되는 경우)
예산을 원가성과지수로 나눈다. 원가성과지수가 0.96이라면 150억 원/0.96=약 156.25억 원이 된다. 프로젝트가 이런 상황으로 지속하면 추가 비용 6.25억 원 발생하여 예측예산은 총 156.25억 원이 된다.

66 정답 ③

비용 변이나 일정 변이가 같게 0보다 큰 수치라면 비용은 계획보다 적게, 일정도 계획보다 빠르게 진행되는 것이므로 현재의 프로젝트는 양호한 상태이다. 그러나 더 정확한 정보는 CPI, SPI가 나와야 종합적으로 알 수 있다. 단순히 편차만 가지고는 프로젝트 규모에 따라 좋다 나쁘다 섣불리 판단하기 어렵다. 만일 CV가 천만 원이라면, 1억짜리 프로젝트에서는 엄청나게 큰 성과이지만, 100억 원짜리의 규모 프로젝트에서는 미세한 부분이 될 수 있기 때문이다.

67 정답 ①

식별되지 못한 리스크에 대한 예비비는 Management reserve로 원가 기준선에 포함이 안되어 있어서 프로젝트 관리자는 별도 정식 승인을 받아야 전체 예산에서 사용할 수 있다.

68 정답 ③

원가 통제는 요청된 변경사항이 실행되었는지를 확인하고, 만약 실제적인 변경이 발생할 때 관리하는 것과 관련되어 있다. ①번과 ②번은 원가 산정 프로세스와 관련이 있고, ③번은 예산 결정 프로세스와 관련이 있다.

69 정답 ①

SV=EV-PV이므로, $3,300-$3,000=$300이 되며, SPI=EV/PV=$3300/$3,000=1.1이 된다.

70 정답 ②

상향식 산정 방법은 더욱 작은 작업 구성 요소를 다룰 때 가장 정확한 원가 산정이 가능하다.
상향식(Bottom-up) 산정 방법은 개별 작업 패키지의 원가를 산정하고 나서, 프로젝트 총원가를 얻기 위하여 개별 산정치를 계속 더해 나가거나 혹은 한꺼번에 합계를 내는 방법이다. 그러므로 실제 원가를 정확히 반영하는 것은 상향식 산정 방법이다. 그러나 시간과 노력이 많이 걸리고 프로젝트의 특징은 유일성 때문에 정확하게 산정이 쉽지는 않다.

71 정답 ①

금도금(Gold plating)이면 더 잘해주는 것이기 때문에 좋다고 생각할 수도 있다. 일부는 그런 경우도 있겠지만, 더 큰 문제가 발생할 수도 있다. 정해진 범위만 철저히 지키는 것이 프로젝트 관리의 핵심이다. 범위에서 All the work, but the only the work를 명심하여야 한다.

72 정답 ③

품질관리에서 사용되는 파레토 도는 히스토그램과는 달리 빈도에 따른 품질문제의 유형과 범주에 의하여 얼마나 많은 결과가 발생하였는지를 보여준다. 중요한 품질 문제의 20%를 우선 해결하면 나머지 품질 문제도 어느 정도 연관성이 있어 품질 문제 대부분이 해결될 수 있다는 논리에서 파레토 법칙은 출발하였다.

73 정답 ①

품질 통제에서 승인된 변경 요청으로 실행에서 만들어진 인도물이 품질 통제로 들어오게 되는데 이때 시정조치 된 내용이 잘 반영되었는지를 확인하기 위해 변경요청 내용을 보고 잘 검사하기 위함이다.

74 정답 ②

예방 비용은 사전에 교육들을 통해 작업내용을 숙지시켜 문제를 예방함에 있다. 기타 2)~4)는 평가 비용에 관한 내용이다.

75 정답 ①

품질 통제 프로세스의 산출물인 품질 통제 측정치(Quality control measurements)는 문서화되어서 품질관리 프로세스의 입력 물로 사용된다. 품질관리 프로세스에서 품질 통제 측정치들은 품질 표준 및 조직의 프로세스를 평가하고 분석하는 데 사용된다.

76 정답 ④

파레토 다이어그램(Pareto diagram)은 히스토 다이어그램(Histo-diagram)의 변형으로 중요 품질 원인 별도 순서대로 나타낸 것이다.

77 정답 ③

관리도(Control chart)는 프로세스가 통제 범위를 벗어났는지를 판단할 수 있게 하며 특히 인도물 관리의 상한선 및 하한선 사이에서 관리토록 한다. 관리도는 일정 시간 경과에 따른 프로세스의 결과를 표시하는 것이기 때문에 해당 프로세스 또는 인도물이 통제선의 범위 내에 있는지를 결정하기 위하여 사용된다.

78 정답 ④

현대적인 품질(Quality)에 대한 접근 사고가 변하고 있다. 예전에는 요구사항 만족 및 제품의 사용 편의성에 있었다. 그러나 현대적인 품질에 대한 접근은 검사보단 예방, 품질의 경영진의 책임, 품질 비용의 관리, 지속적인 개선, 고객 만족 등을 요구하고 있다.

79 정답 ①

산점도는 두 변수와의 관계를 나타낸 것이다. 상관관계 분석으로 양의 상관관계, 음의 상관관계 및 서로 상관관계 없음 등 다양한 방식으로 2가지 변수와의 상관관계를 표현한다.

80 정답 ①

재작업(Rework)은 프로젝트 기간이 초과하는 중요한 원인 중의 하나이다. 따라서 프로젝트팀은 재작업(Rework)이 최소화될 수 있도록 모든 노력을 기울여야 한다. 일반적으로 재작업(Rework)이란 식별된 결함이나 부적합 요소를 요구사항 또는 명세서에 부합하도록 수정하는 작업을 의미한다. 그렇기 때문에 내부 실패비용으로 품질 비용이 소요된다.

81 정답 ④

공개 경고는 효과는 있으나 해당 직원에게는 상처를 줄 수 있다. 따라서 ②번이 가장 바람직하다. 상사를 통해 주의를 주는 것도 좋지는 않다. 당신은 프로젝트 관리자로 다음 회의 때도 그 직원을 만날 수도 있다. 회의를 주관하는 당신이 해결해야 한다.

82 정답 ④

갈등 해결 기법에는 크게 5가지가 있다. 회피(Avoiding/withdrawing), 타협(Compromise), 강요(Forcing), 완화(Smoothing), 문제 해결(Problem solving) 및 대결(Confrontation)이다. 이 중에서 가장 안 좋은 방법은 강요(Forcing)이며, 타협은 서로 양보하기 때문에 Lose-lose 전략이라고 하며, 문제 해결(Problem Solving)방법은 갈등 해결의 방법 중에서 시간이 많이 소요되지만 가장 좋은 방법으로 서로 이기는 Win-win 전략이라 한다.

83 정답 ①

X 이론을 가진 관리자는 팀원이 피동적이어서 늘 관리해야 하는 대상으로 간주하는 사고방식을 지니고 있다.

84 정답 ①

팀이 새롭게 모일 경우에는 서로가 서먹서먹하므로 리더는 잘 지시하여 조정하는게 좋다. 이유는 팀이 형성된 초기 단계에서는 팀원들이 무엇을 어떻게 해야 할지를 잘 모르는 단계이기 때문이다.

85 정답 ④

허쯔버그의 이론은 동기를 유발하는 요인이 없을때 불만족을 유발하는 위생 요인은 다르므로 각각의 특성에 맞는 적절한 관리를 강조하고 있다. 표창, 승진 등과 같은 동기 요인이 결여되면 불만족이 야기되며, 반대로 이러한 동기 요인이 제시된다면 동기부여되어 작업성과가 개선된다.

86 정답 ②

국제환경 프로젝트의 우선순위는 의사소통 부분이다. Virtual team에서 의사소통이 제일 중요한 부분이다. 의사소통 계획이 잘 세워지지 않으면 많은 문제가 발생하기 때문에 의사소통의 환경(예: 언어, 회의 시간, 소통 주기, Report format 등)에 철저한 대비를 하여야 한다.

87 정답 ①

프로젝트팀을 개발시키는 방법은 교육은 Teamwork이겠으나, 궁극적 목표 및 결과는 개인 및 팀의 성과를 높이는 것이다. 성과 개선은 프로젝트 목표를 충족할 가능성을 높일 뿐만 아니라 프로젝트팀의 역량을 높이는 데도 도움이 된다.

88 정답 ②

아래 단계가 충족되어야 다음 단계가 충족된다는 이론이다.

1단계: 생리적 욕구(Physiological needs)-의식주의 욕구
2단계: 안전욕구(Safety needs)
3단계: 소속감과 애정 욕구(Belongingness and love needs)
4단계: 존경 욕구(Esteem needs)
5단계: 자아실현 욕구(Self-actualization needs)

89 정답 ②

가상 팀(Virtual teams)은 서로 같은 장소에서 일하지 않고 서로 떨어져서도 한 팀으로서 프로젝트를 수행할 수 있게 하는 것을 의미한다. 가상 팀을 구성하여 프로젝트를 진행한다. 서로 떨어져 있기 때문에 프로젝트 관리자는 의사소통이 매우 중요하게 계획하여야 한다.

90 정답 ④

갈등 해결 방법에는 다음과 같이 여러 가지가 있는데

- 완화(Smoothing),
- 타협(Compromising),
- 철수/회피(Withdrawing),
- 강요(Forcing),
- 문제해결(Problem Solving)

위 방법 중에서 서로 Win-win하는 방법은 다소 시간이 걸리지만, 효과적인 것은 문제 해결 방법이다. 가장 안 좋은 방법은 강요하는 방법으로 갈등을 더 촉진할 수 있다.

91 정답 ③

의사소통 채널 수는 4명일 때는 n(n−1)/2 따라 4×3/2=6개이다. 10명이면 10×9/2이므로 45개이다. 차이는 45−6개이므로 39개가 증가한 것이다.

92 정답 ③

사내 Intranet은 기본적으로 공지하는 측면에서 보면 Push communication이 되고, 받는 입장에서는 Pull communication 된다. 이와는 달리 회의는 같이 모여서 의사를 교환하므로 Interactive communication 방식이 된다.

93 정답 ①

보안 문제는 의사소통관리계획서의 부실 때문에 발생한 것이다. 프로젝트 관리자는 고객과의 의사소통의 중요한 구심점이다. 그런데도 먼저 스폰서가 정보를 흘렸다면 스폰서가 의사소통관리 계획서를 지키지 아니했거나 의사소통관리 계획서가 소홀하여 발생한 문제일 수 있다.

94 정답 ④

의사소통의 장벽으로 인해 정보가 원활하게 전달되지 못하게 된다. 따라서, 수신자는 메시지를 오해하게 되고 이로 인해 메시지 내용을 서로 다르게 이해하고, 다른 준거 기준을 갖게 됨에 따라 갈등이 증가하게 된다.

95 정답 ①

의사소통의 문제로 제일 먼저 문제가 발생할 수 있는 것은 팀원 간 또는 이해관계자 간의 갈등 발생이다.

96 정답 ①

프로젝트팀원 간의 의사소통 문제가 발생한 것이니 의사소통관리계획에 무슨 문제가 있는지 조사해야 한다. 불투명한 의사소통 관리계획 때문에 문제가 발생할 수 있다.

97 정답 ③

기존의 의사소통 채널 수는 PM 포함하여 $6\times(6-1)/2=15$였다. 그런데 2명이 나가고 1명이 들어왔으므로 1명이 감소하였다. 파트타임도 채널 수에 포함되어야 한다. 그러면 $5\times(5-1)/2=10$

98 정답 ③

모든 이해관계자에게 모든 프로젝트 문서들을 공평하게 배포할 수 없다. 필요한 관련 자료를 해당 이해관계자에게 배포하는 것이 효율적이다. 예를 들어 이해관계자 관리대장과 이해관계자 영향력 평가 자료 등은 프로젝트 관리팀의 내부 보안자료로 이해관계자들에게 절대 배포되어서는 안 된다.

99 정답 ③

의사소통방법에서 가장 효율적인 방법은 역시 피드백을 수반하는 Interactive communication 방법으로 예를 들면 회의, Tele-communication, 화상회의, 직접 대화 등이 있다.

100 정답 ②

프로젝트팀원들의 의사소통을 효과적으로 향상하는 방법은 같은 공간에서 업무를 하게 하는 Co-location이다. 동일장소 배치는 팀이 함께 모이고 회의하는 데 도움이 된다.

101 정답 ②

리스크 대응 방안이 잔류 리스크(Residual risk)를 너무 많이 남긴다면 추가적인 리스크 대응 방안을 사용해야 할 필요가 있다. 그래서 Fall back plan으로 2차 대응한다. 그래도 잔류 리스크가 남아 있다면 만일 나중에 리스크 발생 시 결국 Contingency reserve로 처리하여야 한다.

102 정답 ①

일정 단축 등을 통해 기회를 활용하려는 목적이 있으므로 활용의 전략을 사용한 것으로 봐야 한다.

103 정답 ③

일반적으로 전가(Transfer)는 내부적으로 기술적으로 수행할 수 없을 때, 또는 비용이 내부적으로 할 때 더 많이 들 때, 너무 위험한 작업일 때 Out-sourcing 또는 보험 등을 통해 해결한다.

104 정답 ③

확률과 영향 매트릭스를 준비하는 것은 리스크 관리계획 프로세스이며, 그것을 실제로 사용하는 것은 정성적 리스크 분석 수행 프로세스이다.

105 정답 ③

리스크 관리영역에는 식별할 수 없는 리스크는 식별할 수 없으므로 관리할 수가 없다. 만일 식별되지 않은 리스크가 발생하면 이에 대한 대응 방법을 Workaround 라고 부르며 프로젝트 예산을 사용하지 못하고 별도 예산을 배정받아 조치를 취해야 한다.

106 정답 ②

리스크 발생의 확률은 20%로 예상한다면 손실 금액의 200,000달러에 대한 가능성은 40,000(200,000×0.2)달러이다. 즉 발생하면 40,000달러의 손실이 예상된다. 보험비가 20,000달러라면 약 20,000달러의 절감 효과가 있으니 가입하는 것이 유리하다.

107 정답 ③

Fallback plan이란 식별된 리스크에 대한 대응계획으로 Contingency plan을 시행하였으나 효과가 없을 시 다시 시행하는 2차의 대응계획을 말한다.

108 정답 ③

리스크 관리계획 프로세스 중 리스크 심각성을 고려하여 우선순위를 정하는 프로세스는 정성적 리스크 분석수행이고 높은 수준의 리스크를 돈과 시간 등 수치로 분석하는 프로세스가 정량적 리스크 분석수행이다.

109 정답 ①

위에서 설명된 상황은 자원 투입에 대한 일정 계획을 제대로 수립하지 못해 이에 따른 위험에 적절하게 대응하지 못한 상황을 보여주고 있다. 그러므로 프로젝트 준비 단계에서 리스크 관리를 위한 방안이 마련되어야 한다. 일반적으로, 프로젝트 관리와 관련한 리스크 요인에는 적절치 못한 시간 및 자원 할당, 부적절한 품질, 그리고 잘못된 프로젝트 관리 등이 포함된다.

110 정답 ①

프로젝트 관리자가 주관하여 회의를 통해 식별된 리스크에 대해 가장 그 내용을 잘 아는 주제 관련 전문가에게 리스크 발생 시 즉시 처리할 수 있는 개인을 임면하게 된다. 이를 Risk owner라고 부른다. 일반적으로 식별단계에서 선 배정되고 대응계획 시 최종 확정된다.

111 정답 ②

고정가(Firm-fixed-price) 계약은 판매자가 수행하는 작업이나 발생하는 원가와는 무관하게 사전에 정해진 계약 금액을 지불하는 방식이다. 따라서 이는 구매자가 부담해야 하는 위험도는 낮으며 반대로 판매자가 부담해야 하는 위험도는 높은 계약 방식이다.

112 정답 ②

입찰자 회의(Bidder conferences)는 조달수행프로세스에서 업체 담당자들을 한곳으로 모아 제안 설명을 하는 회의를 의미한다. 모든 잠재적 판매자들이 조달에 대해 분명하고 공통된 이해를 얻도록 보증하는 것이 회의의 목적이다. Contractor conferences, Vendor conferences, pre-bid conferences라고도 한다.

113 정답 ④

자체기술이 부족하거나, 리스크가 크거나, 자체적으로 하는 것이 외주를 주어서 하는 것보다 비용이 많이 들 때 Make-or-buy analysis를 하게 되며 그 결과로 Make or buy decisions이 산출된다.

114 정답 ①

조달관리 계획수행에서 Make or buy decisions이 완료되고 외부조달에 따른 계약 형태를 준비한다.

115 정답 ②

Make or buy decisions는 조달계획단계에서 결정된다. 조달수행은 업체에 RFP(Request for proposal) 또는 RFQ(Request for quotation)를 발행하고 이를 검토하고 업체를 선정하고 계약을 체결하는 폭넓은 활동을 전개한다.

116 정답 ①

일반적으로 원자재나 임금은 지속적인 상승을 하는 경향이 많으므로 이러한 변동요인에 대해 공급자(판매자)의 입장에서 위험부담이 가장 큰 형태의 계약은 고정가격 계약(Fixed price)이다. 고정가 계약은 업무가 명확하게 정의되었을 때 적합하며, 업무가 명확히 정의되지 않은 상태에서 계약을 체결할 때는 원가에다 일정 비율을 정산해 주는 원가정산계약이 더 적합하다.

117 정답 ④

일정 지연 등의 문제 상황에서는 우선순위는 문제 발생에 따른 영향력 분석 후에 대안을 포함하여 변경조치를 포함한 일련의 조치를 취해야 한다.

118 정답 ②

해당 업체에 대한 현재까지 수행된 부분에 대해서 면밀하게 분석하는 이유는 이미 업체와 계약을 체결한 상태에서 일단 성과 부분 등을 종합적으로 분석하고 협조 문제가 성과 부분까지 영향을 미쳐 안 좋다면 어떤 조치를 취해야 한다. 그러나 성과는 좋으나 협조도가 안 좋으면 대인관계기술을 이용한 접근이 바람직하다. 무조건 따지고 계약을 해지하는 극단적 조치를 바로 취하면 프로젝트의 리스크가 커진다.

119 정답 ④

벤더의 선정기준은 제안서에 등급 및 점수를 부여하는데 사용되는 객관적/주관적 기준으로 평가 기준은 종종 조달문서(Procurement document)에 포함되기도 하며 일반적으로 ① ~ ③까지를 포함한다. 때로는 회사에 대한 의존도의 고려요소지만 경영층의 학력 수준까지는 선정기준이 될 수가 없다.

120 정답 ②

업체의 비용청구서를 파악할 능력이 부족할 경우에는 업체가 원하는 비용을 지불할 수밖에 없다. 이런 경우는 고정계약방식으로 추진하여 리스크를 줄일 필요가 있다.

121 정답 ②

프로젝트에 영향을 주거나 받는 개인 및 조직을 이해관계자라고 한다. 물론 회사 외부에도 존재한다.(예: 고객, 외부기관 등)

122 정답 ②

이해관계자 식별이 가장 먼저이다. 이해관계자 분석은 일반적으로 다음 순서로 진행된다. 이해관계자 식별 → 이해관계자 정보수집 → 이해관계자 분류 → 이해관계자 강점 및 약점분석 → 이해관계자 대응 전략 개발 → 이해관계자 대응 전략의 실행 → 대응 결과평가 및 전략수정

123 정답 ①

프로젝트 착수 시 가장 먼저 해야 하는 것은 이해관계자들의 식별이다. 이해관계자 관리에서 중요이해관계자를 제대로 식별하는 것이 가장 중요하다. 초기에 식별이 안 되고 나중에 식별이 되면 문제가 더 크게 발생할 수가 있다.

124 정답 ④

프로젝트 이해관계자는 프로젝트에 영향을 주거나 받는 개인 또는 조직을 포함하며 주로 핵심 이해관계자는 프로젝트팀원, 고객, 스폰서 등이 될 수 있다. 물론 프로젝트팀원의 시간과 노력은 실행단계에서 가장 많이 들어간다. 프로젝트 생애주기의 일반적인 특성으로 이해하여야 한다.

125 정답 ④

프로젝트 이해관계자의 범위에는 해당 프로젝트에 긍정적 혹은 부정적 영향을 미치거나 영향을 받을 수 있는 모든 사람이 포함된다.

126 정답 ①

스폰서는 프로젝트 관리자를 프로젝트 초기에 선정한다. 프로젝트 관리자는 스폰서가 만드는 프로젝트 헌장을 돕고, 프로젝트 착수가 되면 프로젝트 계획을 만들고 실행을 위해 프로젝트팀과 이해관계자들을 관리한다. 프로젝트 동안 발생하는 프로젝트팀 내 갈등관리나 이해관계자들의 기대사항을 관리하는 것은 프로젝트 관리자(Project manager)의 중요한 역할이다.

127 정답 ④

프로젝트 이해관계자는 프로젝트에 영향을 주거나 받는 개인 또는 조직을 포함하며 주로 핵심 이해관계자는 프로젝트팀원, 고객, 스폰서 등이 될 수 있다. 물론 결과물의 검증에도 관여하지만, 시간과 노력은 실행단계에서 가장 많이 들어간다. 여기서는 폭넓게 이해관계자로 이해하여야 하며 프로젝트 생애주기의 일반적인 특성으로 이해하여야 한다.

128 정답 ②

WBS, 일정 개발은 주로 프로젝트팀원들에 의해 만들어지고, 자원 부분은 일정 관리의 한 부분이다. 핵심 이해관계자로부터는 프로젝트의 제약사항 및 제품 산출물에 대한 부분을 결정한다.

129 정답 ①

문제 상황을 보면 프로젝트 진행 과정은 양호하였으나 최종적 공식인수단계에서 모든 이해관계자가 참여하는 과정에서 문제가 발생하였으므로 이는 인수와 관련된 핵심이해관계자가 초기에 빠져 있다가 나중에 참여하여 공식인수과정에서 치명적으로 관여한 것이다. 따라서 초기에 핵심이해관계자 식별과정에서 빠져 있었다. 그래서 의사소통관리를 통한 모든 중요한 프로젝트 정보를 받지 못하였다가 나중에 참여하여 문제가 발생한 것이다.

130 정답 ①

프로젝트 헌장이 승인되면 바로 이해관계자를 식별하여야 한다. 그런 다음에 프로젝트 요구사항을 수집하여야 한다.

131 정답 ②

기획 프로세스 그룹에 속해있는 예산 결정 프로세스에서 예산이 결정된다.

132 정답 ②

프로젝트는 점진적 구체화라는 특징을 가지고 있다. 유일하고 일시적인 특징은 프로젝트의 특징이지만 계획과 관련하여 계획과 실행이 시간이 가면서 구체화하면서 반복되는 특징이 중요하다.

133 정답 ④

Projectized 조직의 주요 단점은 프로젝트가 완료되면 팀이 해체되어 기능 부서로 돌아가거나 다른 프로젝트의 조직에 합류한다.

134 정답 ②

기능 조직에서는 기능부서장이 프로젝트 조정자 역할을 하면서 팀원에게 업무에 대한 부분을 관장한다.

135 정답 ①

Projectized 조직에서는 프로젝트 관리자가 해당 프로젝트에 책임을 지게 되므로 가장 권한이 많다.

136 정답 ④

일시적, 유일하다는 프로젝트의 특징이고 점진적 구체화도 역시 프로젝트 특징이다. 반복적인 것은 운영관리의 특징이다.

137 정답 ④

프로젝트에 배운 모든 교훈의 수집 대상은 이해 관계자이다. 프로젝트 관련되는 프로젝트 관리자, 팀, 스폰서, 고객 등이 모두 포함된다. 프로젝트 관리자가 주관하여 프로젝트 종료 시 프로젝트팀이 작성하고 최종적으로 완성되어 조직 프로세스자산에 보관된다.

138 정답 ①

프로젝트 헌장은 프로젝트 관리 계획 전에 만들어지므로 착수 프로세스 그룹에서 만들어진다. 헌장의 승인이 있어야 프로젝트가 진행된다.

139 정답 ④

이해관계자 관리대장은 이해관계자식별 프로세스의 산출물이다.

140 정답 ④

이해관계자 식별이 우선이다. 그런 다음에 이해관계자로부터 요구사항을 수집하여야 한다.

141 정답 ①

개략적인 수준의 프로젝트 일정 제약 및 예산 제약 등은 프로젝트 헌장의 작성 시 발생하는 내용이다.

142 정답 ④

차이식별은 감시 및 통제 프로세스에서 발생하고 주로 기준대비 실적을 측정하여 차이를 식별하여 문제 여부를 판정한다.

143 정답 ④

현재 범위통제 프로세스를 수행하고 있다. 범위 기준선과 작업성과 데이터를 비교하여 차이식별을 하고 있다. 문제가 있는 경우 시정조치를 위해 변경요청을 통한 통합변경통제 수행이 필요하므로 감시 및 통제 프로세스 그룹 안에 속한다.

144 정답 ③

기획 프로세스 그룹이 가장 많은 프로세스를 보유하고 있으나 시간과 자원이 가장 많이 소요되는 것은 실행프로세스 그룹이다. 건축에서 설계도는 계획, 실제 집을 건축하는 것을 실행으로 비유하여 보면 이해가 쉽다.

145 정답 ④

프로젝트 인도물에 대한 인수 결정을 하는 것은 감시 및 통제 프로세스 그룹에 속해있는 범위 확인 프로세스에서 실시한다.

146 정답 ④

감시 및 통제 프로세스 그룹에서 프로젝트의 성과가 측정되고 분석된다. 그리고 필요한 변경이 식별되고 승인된다.

147 정답 ①

프로젝트 관리는 통합이 제일 중요하다. 의사소통이 통합에서 중요한 이유도 여기에 있다.

148 정답 ②

프로젝트 관리계획은 하부 계획의 및 범위 기준선, 일정 기준선, 원가 기준선을 포함하고 있다. 프로젝트관리계획은 단순히 하부계획 및 3개의 기준선을 수집하는 게 아니고, 통합하고 조정하여 완성된다.

149 정답 ④

프로젝트 헌장은 스폰서와 프로젝트 관리자가 같이 협의하여 작성하고 스폰서가 승인한다.

150 정답 ④

프로젝트 변경요청사항 승인 및 거부 활동은 통합변경통제수행 프로세스에서 이루어진다.

문제 풀이를 위한 양식 [1회 1~100]

1		26		51		76	
2		27		52		77	
3		28		53		78	
4		29		54		79	
5		30		55		80	
6		31		56		81	
7		32		57		82	
8		33		58		83	
9		34		59		84	
10		35		60		85	
11		36		61		86	
12		37		62		87	
13		38		63		88	
14		39		64		89	
15		40		65		90	
16		41		66		91	
17		42		67		92	
18		43		68		93	
19		44		69		94	
20		45		70		95	
21		46		71		96	
22		47		72		97	
23		48		73		98	
24		49		74		99	
25		50		75		100	

문제 풀이를 위한 양식 [1회 101~150]

				MEMO
101		126		
102		127		
103		128		
104		129		
105		130		
106		131		
107		132		
108		133		
109		134		
110		135		
111		136		
112		137		
113		138		
114		139		
115		140		
116		141		
117		142		
118		143		
119		144		
120		145		
121		146		
122		147		
123		148		
124		149		
125		150		

실전 모의고사 150문제

2회

2 차수 문제는 실전 문제를 중심으로 출제가 되었으며 난이도는 실제 시험보다 일부 높은 문제가 많이 출제되었다. 프로세스의 입력물, 산출물 및 도구 및 기법을 한층 익히는 과정이다.

실전 모의고사 2회

01 당신은 프로젝트 관리자이다. 당신의 프로젝트팀원이 조달 행위를 하고 있는데 조달제품의 입고 지연이 발생하고 있다. 이런 상황에서 할 수 있는 가장 좋은 방법은 무엇인가?

① 상사에게 보고하고 이에 상사의 지시를 따른다.

② 리스크 관리의 회피 전략을 취한다.

③ 팀원들과 회의하여 원인을 분석하고 대안을 식별한다.

④ 고객에게 상황을 통보하고 대안을 모색하게 한다.

02 공장에서 상자를 생산하고 있다. 한 상자당 100달러인데, 이를 토대로 하여 3,000 상자로 만들면서 300,000달러로 비용을 계획하고 있다. 이는 어떤 것을 바탕으로 이루어진 것인가?

① 유사 산정

② 삼정 추정

③ 모수 산정

④ 50/50 법칙

03 활동 정의 프로세스의 도구 및 기법에 해당이 되지 않는 것은 다음 중 어느 것인가?

① 전문가 판단

② 분할

③ 문제 해결

④ 연동 기획

04 WBS(Work breakdown structure)에서 인도물을 더 작게 분할하여 관리 가능 한 요소가 되어 완료되면 어떤 부분이 가능하게 되는가?

① 바로 일정을 짤 수 있다.

② 각 요소에 대한 일정과 원가의 산정이 가능해진다.

③ 각 작업 요소 WBS(Work breakdown structure) 사전에서 발견된다.

④ 프로젝트 품질관리에 대한 준비가 완료되었다.

05 균형 매트릭스 조직에서는 정보의 흐름은 어떻게 흐르게 되는가?

① 정보 흐름이 일사불란하게 한쪽으로 전달된다.

② 정보는 프로젝트 관련은 수평으로, 기능적인 업무정보는 수직으로 흐른다.

③ 정보 흐름이 수평적으로 흐른다.

④ 프로젝트 관리자가 정보 흐름을 주관한다.

06 당신은 프로젝트 관리자이다. 어느 날 판매자와의 회의에서 판매자가 말하기를 프로젝트팀의 구매담당자가 판매자의 승인 요청에 대해 늦게 승인함으로써 프로젝트를 지연하고 있으며, 이로 인해 판매자측에 예상치 못한 비용이 발생했다고 주장하고 있다. 이런 상황에서 당신이 프로젝트 관리자로서 우선적으로 해야 하는 조치는 다음 중 무엇인가?

① 모든 관련 데이터를 수집하여 회사의 변호사에게 데이터를 전송하고, 법적 조치에 대해 변호사와 상의한다.

② 관련 이슈와 관련하여 계약에 명시된 조건 등을 검토하고, 내용 파악이 어려우면 법무팀과 상의한 후 관련된 조치를 취한다.

③ 요구사항 기술서를 분석하고 클레임 조치를 하여 법적 조치 없이 해결토록 노력한다.

④ 왜 인수가 늦어졌는지 팀과 회의를 하고 이유를 목록으로 만들고 시정 조치를 한다.

07 당신은 프로젝트 관리자이다. 프로젝트 관리 시 어떤 문제가 발생할 때 해결하는 가장 좋은 순서는 다음 중 어느 것인가?

① 팀원과 협의 후 관리자와 자원 관리자에 알린다.
② 관리하고 있는 자원들로 문제를 해결하고 자원 관리자와 고객에게 알린다.
③ 스스로 해결한 다음 관리자 및 고객에게 알린다.
④ 자원 관리자에 통보 후 관리자와 고객에게 알린다.

08 프로젝트에 모든 이해관계자를 참여시키는 목적은 프로젝트의 어느 부분 때문인가?

① 프로젝트 일정, 산출물, 그리고 요구 사항을 결정한다.
② 프로젝트 인도물의 정의 및 제약사항과 제품 산출물을 결정하는 데 도움이 된다.
③ 프로젝트에 대한 자원 요구와 자원 제약을 결정한다.
④ 가정 사항, WBS(Work breakdown structure) 및 관리 계획을 제공하는 데 도움이 된다.

09 두 명의 관리자는 프로젝트 약한 매트릭스 조직에 속해서 일하고 있다. 그들은 프로젝트 관리에서 능력이 매우 제한되어 있다는 것을 깨달았다. 한 명은 프로젝트 촉진자이고, 다른 한 명은 프로젝트 조정자로 되어 있다. 프로젝트 조정자(Coordinator)와 촉진자(Expeditor)가 어떻게 다른가?

① 프로젝트 촉진자(Expeditor)는 프로젝트 진행 시 주요 안건에 대해 의사 결정을 할 수 있다.
② 프로젝트 조정자(Coordinator)는 프로젝트 진행 시 안건에 대해 의사결정에 관여할 수 있다.
③ 프로젝트 조정자(Coordinator)와 촉진자(Expeditor)는 모두 프로젝트 관리자이다.
④ 둘 사이에는 이름만 다를 뿐 업무에서 차이가 없다.

10 활동 정의 프로세스의 산출물은 다음 중 어느 것인가?

① 일정 기준선
② 활동 속성
③ 산정 기준서
④ 변경 기록부

11 프로젝트 관리자는 작은 소프트웨어 개발 프로젝트를 완료하려고 하지만 관련 부서로부터 프로젝트에 대한 관심을 얻을 수가 없다. 자원에 대한 부분이 온통 운영 프로세스 개선된 작업을 완료하는 데 초점이 되어 있다. 프로젝트 관리자는 자원 사용 및 예산에 권한이 거의 없다. 프로젝트 관리자는 어떤 조직 형태와 일하고 있는 것인가?

① 기능 조직
② 균형 매트릭스 조직
③ 프로젝트 조직
④ 복합조직

12 한 프로젝트 관리자는 프로젝트의 수행 경험이 적은데, 어느 날 신규 프로젝트의 프로젝트 관리자로 임명이 되었다. 그는 자신의 프로젝트를 완료하기 위해 매트릭스 조직에서 일하게 될 것이기 때문에 매트릭스 조직 구조를 잘 이해해야 한다. 다음 중 매트릭스 구조의 특징으로 잘못된 것은 어느 것인가?

① 정보의 흐름이 단순하지 않다.
② 팀원들은 한 가지 업무에 집중할 수 없다.
③ 자원 사용을 극대화할 수 있어 프로젝트에 집중하게 할 수 있다.
④ 프로젝트 관리자는 자원 사용에 대해 기능 부서장과 잘 협상하여야 한다.

13 활동 순서 배열 프로세스의 입력물이 아닌 것은 다음 중 어느 것인가?

① 일정 관리계획서
② 범위 기준선
③ 활동목록
④ 요구사항 문서

14 Projectized 조직에서 누가 가장 권한이 큰가?

① 프로젝트 관리자
② 기능 부서장
③ 팀원
④ 프로젝트 조정자

15 활동 순서 배열 프로세스의 도구 및 기법에 해당이 되지 않는 것은 다음 중 어느 것인가?

① 선후행 도형 법
② 선도 및 지연
③ 프로젝트 관리 정보시스템
④ 자원 최적화

16 관리자 A 및 엔지니어링의 부서장이 주요 Work package에 대해 변경을 논의하였다. 회의가 끝난 후 관리자 A가 프로젝트 관리자와 접촉한 후 변경에 대한 서류 작업을 완료하려고 한다. 이것은 관리자 A의 어떤 예를 보여주는 상황인가?

① 범위 관리에 대한 관리적 관심
② 변경 통제 시스템의 준수
③ 프로젝트 촉진 또는 조정자의 활동
④ 프로젝트 관리자의 역할

17 당신은 프로젝트 관리자로서 프로젝트 착수 준비를 하고 있을 때 3명의 이해관계자가 찾아와서 회사의 새로운 프로젝트 관리 방법론에 대한 정보를 요청하였다. 그들은 이번에 적용하는 프로젝트를 관리하는 방법론이 어디에서 왔으며 기존 프로젝트의 방법론과 왜 다른지를 알고 싶어 한다. 이번 프로젝트는 일부 이해 관계자들을 민감하게 만드는 "변경 책임"이라는 새로운 조항을 사용할 예정인데, 아직 이번 프로젝트에 새로운 용어로 변경하여 관리할 것인지 아직 확신이 서지 않는다. 이런 경우 당신은 프로젝트 관리자로서 무엇을 해야 하나?

① 지속적인 의사소통을 유지할 것이라고 이해관계자들에게 통보한다.

② 계약서에 대한 새로운 조항에 대한 정의 내용을 이해관계자에게 보낸다.

③ PMO에 통보하여 이 문제에 대한 협조를 구한다.

④ 새로운 조항은 중요하므로 반드시 이번 프로젝트에 반영시킨다.

18 프로젝트 관리자는 자신의 두 번째 프로젝트를 관리하고 있다. 먼저 첫 번째 맡은 프로젝트는 이미 1개월 전에 시작했고 이번에 두 번째를 관리하고 있는데, 첫 번째 프로젝트는 작은 규모여서 부담이 적었지만 이번 두 번째 프로젝트는 모든 일의 크기가 증가할 것으로 예상되어 보인다. 매일 시간이 지나감에 따라 프로젝트 관리자는 도움이 필요하다는 강한 느낌이 들기 시작했다. 최근에 프로젝트 관리자는 회사 내에서 자신의 두 번째 프로젝트와 유사한 다른 프로젝트가 지난해에 있었다는 것을 들었다. 그렇다면 어떤 조치를 취하는 것이 가장 바람직한가?

① 유사한 프로젝트를 수행한 관리자에게 접촉하여 이번 프로젝트에 대한 지원을 부탁한다.

② PMO로부터 유사 프로젝트의 기록 및 지침 등 관련 문서 등을 받아 검토한다.

③ 이번 프로젝트가 문제가 있는지 지켜본다.

④ 프로젝트 범위가 모든 이해관계자에게서 동의가 되었는지 범위를 확실히 한다.

19 프로젝트 생애주기와 제품 생애주기의 설명 중 맞지 않는 것은 어느 것인가?

① 일반적으로 제품 생애주기가 프로젝트 생애주기보다 길다.

② 프로젝트 생애주기에는 각 단계가 존재할 수 있고, 각 단계 안에는 프로세스 그룹이 존재한다.

③ 프로젝트 생애주기는 프로젝트의 시작과 끝 사이의 기간을 의미한다.

④ 프로젝트 생애주기가 완료되면 제품 생애주기가 시작된다.

20 당신의 관리자가 "모든 주문이 프로젝트처럼 처리가 되어야 한다."고 주문하였다. 그래서 관리자는 매일 주문을 하고 이슈를 해결하고 고객으로부터 30일 이내 제품에 대한 승인을 받으려고 한다. 각각 주문의 규모는 약 10달러에서 10,000달러까지 아주 다양하다. 관리자는 매일 상황 보고를 하고 별도 계획서나 문서화를 요구받지는 않는다. 당신은 이 상황을 어떻게 정의할 것인가? 다음 중 가장 적절한 것은 무엇인가?

① 각 주문이 일시적인 노력이기 때문에 프로젝트이다.

② 많은 주문이 걸쳐 있기 때문에 프로젝트보다는 프로그램 성격이 강하다.

③ 반복되는 프로세스이므로 운영관리이다.

④ 매일 상황 보고를 하고 주문의 규모가 10,000달러 규모까지이므로 프로젝트이다.

21 프로젝트 헌장 프로세스 수행 시 필요한 입력물은 다음 중 어느 것인가?

① 프로젝트 범위 기술서

② 요구사항 문서

③ 비즈니스 케이스

④ 리스크 목록

22 어떤 프로젝트 관리 프로세스 그룹에서 범위 정의가 완료된 문서를 가지고 승인을 받아 범위 기준선을 만드는가?

① 착수 프로세스 그룹
② 기획 프로세스 그룹
③ 실행 프로세스 그룹
④ 감시 및 통제 프로세스 그룹

23 원가가 현저하게 초과하는 프로젝트에서 이에 대해 시정조치를 하고 싶다. 이에 변경 요청을 할 수 없는 사람 또는 주체는 누구인가?

① 프로젝트와 계약 협의 중인 외부 컨설턴트
② 프로젝트팀원 ③ 스폰서 ④ 고객

24 범위 관리에서 범위 정의 프로세스의 도구 및 기법에 해당하는 것이 아닌 것은 다음 중 어느 것인가?

① 전문가 판단 ② 제품 분석
③ 대안 식별 ④ 벤치마킹

25 프로젝트팀에서 장비를 구매하려고 한다. 이에 팀원들이 많은 제안을 한다. 하지만 프로젝트 관리자는 직접 자신이 결정을 내리려 한다. 이런 경우 프로젝트 관리자는 어떤 리더십을 가지고 있는 것인가?

① 지시적 ② 민주적
③ 자유방임적 ④ 준거적

26 Critical Path 상의 Float는 얼마인가?

① 0 ② 1 ③ 3 ④ 값이 없다.

27 Project의 목표 달성에 긍정적 또는 부정적 영향을 미치는 불확실한 사건이나 이벤트를 무엇이라고 부르나?

① Trigger ② Risk ③ Issue ④ Problem

28 이해관계자 식별 프로세스에서 이해관계자들의 중요도를 다양한 방법으로 분석하고 결정할 때 이용되는 것이 아닌 것은 다음 중 어느 것인가?

① Power-interest grid

② Power-influence grid

③ SWOT analysis

④ Salience model

29 예산책정 프로세스의 입력물이 아닌 것은 다음 중 어느 것인가?

① 범위 기준선

② 원가 산정치

③ 리스크 관리대장

④ 품질 비용

30 품질관리에서 두 가지 요인들의 상관관계를 나타낸 것은 어느 것인가?

① Scatter diagram
② Pareto diagram
③ Histogram
④ Ishikawa diagram

31 Proto-type은 주로 어떤 프로세스에서 사용되는가?

① 요구사항 수집
② 범위 정의
③ 범위 관리계획
④ 활동 정의

32 일정 관리에서 선행공정이 끝나는 시점이 후속 공정이 끝나는 시점일 때 연관 관계는 어떻게 표시가 되는가?

① FS ② FF ③ SS ④ SF

33 프로젝트 관리에서 계획과 관련하여 시간이 지날수록 구체화되는 것을 나타내는 용어는 다음 중 어느 것인가?

① Tailoring
② Rolling wave planning
③ 100% rule
④ WBS(Work breakdown structure)

34 프로젝트 일정이 촉박해 빠른 판단을 필요로 하는 상황에서 두 명의 팀원이 서로 의견 대립 중이다. 프로젝트 관리자는 어떤 갈등 해결 방안을 활용해야 하는가?

① 강요/지시
② 타협/화해
③ 철회/회피
④ 문제 해결/협조

35 프로젝트 관리에서 PMO(Project management office)의 역할을 가장 잘 나타낸 것은?

① 프로젝트 관리 방법론 및 프레임을 제공한다.
② 프로젝트팀이 효율적으로 일할 수 있도록 도와준다.
③ 프로젝트 팀원 간 갈등을 조정한다.
④ 프로젝트의 의사소통을 원활하게 해준다.

36 예산 결정 프로세스의 산출물이 아닌 것은 다음 중 어느 것인가?

① 자금 한도 조정(Funding limit reconciliation)
② 프로젝트 자금 요구사항(Project funding requirements)
③ 프로젝트 문서 수정(Project documents update)
④ 원가 기준선(Cost baseline)

37 통합관리에서 통합 변경 통제 수행 프로세스의 산출물은 다음 중 어느 것인가?

① 변경 통제 도구
② 프로젝트 관리계획서 갱신
③ 검증된 인도물
④ 변경 요청

38 프로젝트 일정 개발에서 일정 단축의 기법으로 활동 기간을 중첩해 기간을 단축하는 방식을 무엇이라고 하는가?

① Crashing
② PERT(Program evaluation review technique)
③ Fast-tracking
④ Lead and lag

39 일정 개발의 논리적 상관관계에서 활동의 후행 작업을 고의로 지연시켜서 연관 관계를 만드는 것을 무엇이라고 하는가?

① Lead
② Lag
③ Hard logic
④ Soft logic

40 일정관리에서 활동기간산정 프로세스 산출물은 다음 중 어느 것인가?

① 활동자원 산정치
② 기간 산정치
③ 프로젝트 일정
④ 마일스톤

41 마일스톤 차트(Milestone chart)가 중요하게 나타내는 것은 무엇인가?

① 활동의 시작일과 완료 일에 대한 상세한 보고
② 프로젝트의 여유시간에 대한 보고
③ 주 공정에 대한 일정 단축내용에 대한 보고
④ 중요 인도물에 대한 일정의 시작과 완료일에 대한 보고

42 프로젝트 일정 관리를 한다는 것은 기본적으로 어떤 목적을 가졌다고 생각하나? 이에 근본 목적에 맞지 않는 것은?

① 프로젝트 기간을 최대한 단축하여 빨리 완료시키는 목표가 우선이다.

② 프로젝트 일정 관련 활동 간의 상호 연관성을 파악한다.

③ 일정에서의 위험요소를 파악한다.

④ 일정 통계를 위한 관리지침을 만든다.

43 프로젝트에서 교훈 사항은 매우 중요하다. 프로젝트가 종료될 때 완성되어 저장되는 조직 프로세스 자산 교훈(lessons learned)은 누구에 의해 완성되는가?

① 내부 컨설턴트

② 스폰서

③ 프로젝트 관리자와 팀원

④ 품질 관리자

44 의사소통관리 프로세스에서 전체 감시 및 통제 프로세스에서 생성되는 중요한 문서를 프로젝트 이해관계자들에게 주기적으로 배포한다. 의사소통관리 프로세스의 입력물이기도 한 이 문서는 무엇인가?

① 작업성과 데이터

② 작업성과 정보

③ 작업성과 보고서

④ 마일스톤 차트

45 프로젝트 관리의 지식 영역인 의사소통 관리에서 의사소통 계획이란 누구를 대상으로 존재하는 계획인가?

① 프로젝트 내부 팀원
② 경영층
③ 프로젝트에 관련된 이해관계자
④ 고객

46 실행 프로세스 그룹인 의사소통관리 프로세스의 입력물이 아닌 것은 다음 중에 무엇인가?

① 의사소통관리계획서
② 작업성과보고서
③ 이해관계자 관리대장
④ 조직프로세스 자산

47 의사소통 통제 프로세스는 감시 및 통제 프로세스 그룹에 속해있으면서 의사소통에 대한 기준 대비 실적을 감시 및 통제한다. 이 프로세스의 중요 산출물은 무엇인가?

① 작업성과 데이터와 변경 요청
② 작업성과 보고서와 변경 요청
③ 작업성과 정보와 변경 요청
④ 이슈 로그와 작업성과 정보

48 범위 확인 프로세스의 산출물은 다음 중 어느 것인가?

① 검증된 인도물
② 수용된 인도물
③ 최종 제품
④ 작업성과보고서

49 프로젝트 착수단계에서 이해 관계자와의 회의를 통해 프로젝트 관리자는 비즈니스 편익을 제공하는 프로젝트의 능력이 환율의 변동에 크게 의존한다는 사실을 깨달았다. 다음 중 이런 부분을 설명해주는 부분은 어느 것인가?

① 조직 프로세스 자산
② 기업 환경 요소
③ 프로젝트 가정
④ 프로젝트 제약 조건

50 조달 통제 프로세스의 입력물로 들어가는 것이 아닌 것은?

① 작업성과 데이터
② 계약서
③ 승인된 변경 요청
④ 판매자 제안서

51 품질 통제와 범위 확인의 대표적인 도구 및 기법은 다음 중 어느 것인가?

① 감사
② 검사
③ 차이 식별
④ 전문가 판단

52 범위 통제 프로세스의 산출물은 다음 중 어느 것인가?

① 작업성과정보
② 승인된 변경 요청
③ 작업성과 데이터
④ 수용된 인도물

53 어떤 조직구조가 자원 활용성 측면에서는 극대화하는 측면이 있지만, 업무 보고에 있어서는 이중 보고의 문제점이 있는가?

① 기능 조직구조
② 약한 매트릭스 조직구조
③ 균형 매트릭스 조직구조
④ 프로젝트 조직구조

54 다음 중 비즈니스 문서에 해당하는 것은 무엇인가?

① 리스크 관리대장
② 이슈 기록부
③ 편익 관리계획서
④ 가정사항 기록부

55 통합관리 지식 영역 프로세스에서 공통으로 사용되는 도구 및 기법은 무엇인가?

① 전문가 판단
② 차이 식별
③ 성과분석
④ 대안 식별

56 프로젝트 또는 단계의 종료를 위해 프로젝트 종료 프로세스에 투입되는 것은 다음 중 어느 것인가?

① 검증된 인도물들(Verified deliverables)

② 인수된 인도물들(Accepted deliverables)

③ 확정된 인도물들(Confirmed deliverables)

④ 최종 제품(Final product, result and services)

57 WBS 구성요소 중, Work package보다 상위 요소로서, 성과측정을 위해 획득 가치(Earned value)와 비교되고 통합되며, 범위나 원가, 일정을 통제하기 위해 지정한 것은 무엇인가?

① A code of account

② Control chart

③ Control account

④ Hammock activity

58 범위 정의의 산출물이며, 프로젝트에서 생성해야 하는 인도물들과 그 인도물을 만들기 위해 수행해야 할 작업을 상세히 기술한 문서는 무엇인가?

① WBS(Work breakdown structure)

② WBS(Work breakdown structure) dictionary

③ Project scope statement

④ Scope baseline

59 일정 관리 프로세스 3요소가 잘 결합하여 만들어지고 일정 관리에서 Schedule baseline을 만드는 프로세스는 무엇인가?

① Define activity

② Develop schedule

③ Control schedule

④ Plan schedule management

60 전체 작업 실행을 통하여 나온 인도물은 다음 어떤 프로세스의 입력물이 되는가?

① 품질관리

② 품질 통제

③ 품질관리계획 수립

④ 범위 확인

61 프로젝트 상태가 양호한 지, 아니면 좋지 않은 상태인지, 전체 프로젝트 현황을 종합한 보고서로, 프로젝트 일정 및 원가 예측을 포함한 문서이며, 이해관계자들에게 정기적으로 배포되는 이 문서는 무엇인가?

① 작업성과 데이터(Work performance data)

② 작업성과 정보(Work performance information)

③ 작업성과 보고서(Work performance reports)

④ 원가 예측치(Cost forecasts)

62 범위 통제에서 정식적인 변경 통제 절차를 무시하고 변경이 행하여지는 행위는 무엇이라고 하나?

① Gold plating
② Change requests
③ Scope creep
④ Change control board

63 프로젝트 또는 단계 종료 프로세스의 입력물에 해당하지 않는 것은 다음 중 어느 것인가?

① 프로젝트 헌장
② 조달 문서
③ 품질보고서
④ 검증된 인도물

64 활동 정의의 도구 및 기법 중 하나인 이것은 프로젝트가 생애주기 동안 반복적으로 활동을 정의하고, 활동 목록은 시간이 지날수록 구체화하기 때문에, 점차 상세 수준의 활동식별이 사용된다. 이것은 무엇인가?

① Tailoring
② Rolling wave planning
③ Decomposition
④ Inspection

65 Define activitles 프로세스의 산출물에 해당되지 않는 것은 다음 중 무엇인가?

① Activity list

② Activity attributes

③ Milestone list

④ Project schedule network diagram

66 제안서 작성 전에 잠재적 판매자들과 가지는 회의로 모든 잠재적 판매자들이 조달에 대해 분명하고 공통된 이해를 얻도록 보증하는 것이 목적인 회의를 무엇이라 부르는가?

① Procurement offer

② Bidder conferences

③ Advertising

④ Focus meeting

67 WBS(Work breakdown structure) 작성 프로세스의 입력물이 아닌 것은 다음 중 어느 것인가?

① 범위 관리 계획서

② 프로젝트 범위 기술서

③ 요구사항 추적 매트릭스

④ 요구사항 문서

68 의사소통 모델 중 둘 이상의 대화 당사자가 여러 방향으로 정보 교환을 수행하는 방식으로 특정 주제에 대해 모든 참여자의 일반적인 이해를 끌어내는 가장 효율적인 방법인 대화식 의사소통(Interactive communication)의 예가 아닌 것은 무엇인가?

① Meeting

② Tele-communication

③ Video-conference

④ e-mailing

69 WBS(Work breakdown structure) 작성 프로세스의 산출물은 다음 중 어느 것인가?

① Control account

② Work package

③ 범위 기준선

④ Rolling wave plan

70 당신은 일정 관련 프로세스를 완료하고 이제는 일정을 최종적으로 작성하려고 한다. 다음 중에서 일정 개발(Develop schedule)의 입력물이 아닌 것은?

① Activity list

② Project schedule network diagram

③ 품질관리계획

④ 기간 산정치

71 팀원은 모든 프로젝트가 끝날 때 모든 프로젝트 기록을 보관하는 가치에 대해 궁금해한다. 다음 중 프로젝트 기록을 사용하지 않는 것에서 중요도가 떨어지는 것은 어느 것인가?

① 이전 조직의 프로젝트 성과를 벤치마킹하여 이번 프로젝트의 목표 수립을 위해
② 후속 프로젝트의 교훈 사항 작성에 도움을 주기 위해
③ 후속 프로젝트를 계획하는 데 사용하기 위해
④ 미래의 프로젝트가 실패할 가능성을 피하기 위해

72 프로젝트 네트워크에서 후속 작업의 빠른 시간에 영향을 주지 않고 가질 수 있는 여유시간을 무엇이라고 하나?

① Slack
② Total float
③ Free float
④ Float

73 통합관리에서 통합변경 통제 수행 프로세스의 산출물은 다음 중 어느 것인가?

① 변경 통제 도구
② 프로젝트 관리계획서 갱신
③ 검증 승인된 변경 요청
④ 변경 요청

74 범위 관리에서 범위 정의 프로세스의 도구 및 기법에 해당하는 것이 아닌 것은 다음 중 어느 것인가

① 전문가 판단
② 데이터 수집
③ 의사결정
④ Prototypes

75 Prototype은 주로 어떤 프로세스에서 사용되는가?

① 요구사항 수집
② 범위 정의
③ 범위관리 계획
④ 활동 정의

76 예산 책정 프로세스의 도구 및 기법에 해당하지 않는 것은 다음 중 어느 것인가?

① 전문가 판단
② 원가 합산
③ 유사 산정
④ 자금 한도 조정

77 품질통제 프로세스의 도구 및 기법에 해당하지 않는 것은 다음 중 어느 것인가?

① 데이터 수집
② 검사
③ 회의
④ 감사

78 예산 책정 프로세스의 산출물은 다음 중 어느 것인가?

① 프로젝트 자금 요구사항
② 자금 한도 조정
③ 자금조달
④ 원가 산정치

79 기업에는 다양한 조직이 존재한다. 일반적으로 운영조직과 프로젝트 조직으로 구분이 되는데 다음 중 프로젝트와 관련된 조직은 무엇인가?

① 생산관리부서
② 구매 및 조달 부서
③ 재무부서
④ 제품 개발 부서

80 프로젝트 프로세스의 단계 중 불확실성의 정도가 가장 낮고 이해관계자의 영향력도 가장 낮고 리스크 역시 가장 적으나, 만일 변경이 발생하면 변경과 관련된 비용이 가장 크게 나타나는 프로세스 단계는 다음 중 어느 것인가?

① 착수 단계(Initiating)
② 기획 단계(Planning)
③ 실행 단계(Executing)
④ 종료 단계(Closing)

81 프로젝트 관리 프로세스 중에서 통합 변경 통제 수행을 하는 프로세스는 다음 프로세스 그룹 중 어디에 속하는가?

① 기획 프로세스(Planning process)

② 실행 프로세스(Executing process)

③ 감시 및 통제 프로세스(Monitoring & controlling process)

④ 종료 프로세스(Closing process)

82 다음은 프로젝트 관리에서 PMO(Project management office)에 대한 설명으로 PMO는 프로젝트 관리 시의 문서 및 용어의 표준화, 자원 분배, 방법론, 도구 및 기법을 조정하는 관리구조이다. 그렇다면 프로젝트 관리와 관련하여 PMO의 유형에 속하지 않는 부분이 포함된 것은 다음 중 어느 것인가?

① Supportive(지원형), Controlling(통제형)

② Controlling(통제형), Directive(지시형)

③ Supportive(지원형), Directive(지시형)

④ Directive(지시형), Integrative(통합형)

83 프로젝트에서 조직 프로세스 자산은 매우 중요하다. 다음 중 지식에 관련된 조직 프로세스 자산의 예인 것은?

① Lessons learned

② 정부의 규제

③ 회사의 품질 목표

④ 변경 절차의 양식

84 프로젝트 조직의 특징을 잘 나타낸 것은 다음 중 어느 것인가?

① 보고해야 하는 많은 상사가 있다.

② 프로젝트 목표에 대한 충성도가 떨어진다.

③ 보고체계가 수직적 수평적으로 이중 보고한다.

④ 프로젝트가 끝나면 조직이 해체된다.

85 활동 순서 배열의 도구 및 기법 중에서 의존관계에 해당이 안 되는 것은?

① 의무적 의존관계

② 임의적 의존관계

③ 외부적 의존관계

④ 선도 및 지연

86 누가 Projectized 조직에서 가장 권한이 있는가?

① 프로젝트 관리자 ② 기능 부서장

③ 팀원 ④ 프로젝트 조정자

87 활동 순서 배열 프로세스의 도구 및 기법에서 선행과 후행 활동이 같이 시작하는 것을 나타내는 유형은 다음 중 어느 것인가?

① FF ② FS ③ SS ④ SF

88 활동 정의 프로세스의 입력물이 아닌 것은 다음 중 어느 것인가?

① 범위 기준선　② 일정 관리계획서
③ 조직 프로세스 자산　④ 가정 사항 기록부

89 활동 기간 산정 프로세스의 입력물이 아닌 것은 다음 중 어느 것인가?

① 활동 속성　② 자원 달력
③ 자원 요구사항　④ 일정 기준선

90 다음 중 착수 프로세스 그룹의 입력물로 들어가지 않는 것은 어느 것인가?

① 편익 관리계획　② 프로젝트 헌장
③ 비즈니스 케이스　④ 이해관계자 관리대장

91 활동 기간 산정 프로세스의 산출물은 다음 중 어느 것인가?

① 기간 산정치　② 자원 요구사항
③ 자원 달력　④ 일정 기준선

92 일반적으로 어느 프로젝트 관리 프로세스 그룹에서 프로젝트 활동 대부분의 프로젝트 시간과 자원을 사용하는가?

① 착수 프로세스 그룹
② 기획 프로세스 그룹
③ 실행 프로세스 그룹
④ 감시 및 통제 프로세스 그룹

93 착수 프로세스 그룹에서 수행되는 것이 아닌 것은 다음 중 어느 것인가?

① 비즈니스 요구사항을 식별하고 문서화한다.
② 프로젝트 요구사항 문서와 요구사항 추적 매트릭스를 만든다.
③ 조달 문서로부터 이해관계자들을 식별하고 관리대장을 만든다.
④ 기업환경요인을 분석하고 이를 프로젝트 타당성 검토 시 반영한다.

94 일정 통제 프로세스의 도구 및 기법에 해당하지 않는 것은 다음 중 어느 것인가?

① 주 공정법
② 자원 최적화
③ 일정 단축
④ 의사결정

95 다음 중 프로젝트 관리에서 이전 프로젝트의 교훈 기록이 가장 잘 사용되는 경우를 잘 묘사한 것은 무엇인가?

① 생애 수명주기
② 리스크 관리
③ 상태 보고서를 만들기
④ 교훈 생성

96 일정 통제 프로세스의 산출물은 다음 중 어느 것인가?

① 작업성과 데이터
② 일정 예측
③ 작업성과 보고서
④ 일정 기준선

97 원가산정 프로세스의 산출물은 다음 중 어느 것인가?

① 원가 기준선
② 원가 산정치
③ 자금 요구사항
④ 원가 예측치

98 다음 중 프로젝트 지시 및 관리 프로젝트 작업의 인도물(산출물)이 아닌 것은 다음 중 어느 것인가?

① 변경 요청들(Change requests)
② 인도물(Deliverables)
③ 작업성과 데이터(Work performance data)
④ 작업성과보고서(Work performance information)

99 품질통제 프로세스의 산출물이 아닌 것은 다음 중 어느 것인가?

① 작업성과 정보
② 변경 요청
③ 검증된 인도물
④ 품질보고서

100 프로젝트 지식관리 프로세스 산출물은 다음 중 어느 것인가?

① Work performance data
② Issue log
③ Deliverables
④ Lessons learned register

101 원가 산정(Estimate costs) 프로세스에 사용되는 도구 및 기법인 것은 다음 중 어느 것인가?

① 원가 합산
② 분할
③ 자금 한도 조정
④ 품질 비용

102 범위 관리 프로세스에서 범위 관리계획의 산출물로 맞게 표기된 것은 무엇인가?

① 범위 관리계획, 요구사항 관리계획
② 요구사항 관리계획, 요구사항 문서
③ 요구사항 문서, 요구사항 추적 매트릭스
④ 범위 관리계획, 프로젝트 범위 기술서

103 당신은 프로젝트 관리자이다. 팀원들은 프로젝트 리스크 관리를 수행하고 있다. 리스크 식별을 하고 관리대장 작성을 하려고 한다. 그러나 팀원들은 이를 따르지 않아 문서작성에 어려움을 겪고 있다. 이에 당신은 팀원들과 어떤 갈등조정기법으로 이 문제를 해결하면 좋겠는가?

① 문제 해결(Problem solving)

② 회피(Avoiding)

③ 타협(Compromising)

④ 완화(Smoothing)

104 의사소통관리에서 기본 의사 모델 단계의 흐름에 포함되지 않은 것은 다음 중 어느 것인가?

① Encode & decode

② Trasmit message & acknowledge

③ Noise

④ Feedback & response

105 의사소통관리에서는 프로젝트 작업성과보고서를 이해관계자들에게 배포하는 일을 수행한다. 실행 프로세스에 속하는 의사소통관리 프로세스에서 사용되는 도구 및 기법이 아닌 것은 다음 중 어느 것인가?

① Expert judgement

② Commununication models

③ Communication methods

④ Information management systems

106 의사소통 통제 프로세스의 입력물이 아닌 것은 다음 중 어느 것인가?

① Work performance data

② Issue log

③ Project communications

④ Work performance reports

107 리스크 식별에 들어가는 입력물이 아닌 것은 다음 중 어느 것인가?

① 자원관리계획

② 원가 산정치

③ 활동자원 요구사항

④ 이해관계자 관리대장

108 리스크 식별에서 사용되는 도구 및 기법에서 사용되는 것으로 다이어그램 기법의 일종으로 다양한 변수와 결과물 사이의 우발적 영향, 시간순 사건 및 기타 관계를 보여주는 도표는 다음 중 어느 것인가?

① 인과관계도(Cause and effect diagrams)

② 시스템 흐름도(System flow charts)

③ 영향 관계도(Influence diagrams)

④ 프로세스 흐름도(Process flow charts)

109 리스크 식별 프로세스에서 사용되는 도구 및 기법이 아닌 것은 다음 중 어느 것인가?

① 문서 검토(Documentation reviews)
② 정보수집 기법(Information gathering techniques)
③ 체크 목록 분석(Checklist analysis)
④ 차이 식별(Variance analysis)

110 정성적 리스크 분석수행 프로세스의 도구 및 기법이 아닌 것은 다음 중 어느 것인가?

① 데이터 수집
② 의사결정 나무
③ 회의
④ 데이터 분석

111 리스크 감시 프로세스의 입력물이 아닌 것은 다음 중 어느 것인가?

① Risk register
② Work performance data
③ Work performance reports
④ Risk response plan

112 조달관리 계획 수행의 입력물이 아닌 것은 다음 중 어느 것인가?

① Scope baseline
② Project network diagram
③ Requirements documentation
④ Stakeholder register

113 조달관리 계획 수행에서 사용하는 계약 등은 조달관리 계획 수행의 입력물 중에서 어디에 포함되어 있는가?

① 프로젝트 관리계획
② 조직 프로세스 자산
③ 기업환경요인
④ 요구사항 문서들

114 조달관리 계획 수행에서 사용하는 도구 및 기법에 해당되지 않는 것은 다음 중 어느 것인가?

① Make or buy analysis
② Market research
③ Contract analysis
④ Meetings

115 조달관리 계획 수행의 산출물이 아닌 것은 다음 중 어느 것인가?

① Procurement statement of work

② Bid documents

③ Source selection criteria

④ Agreements

116 조달 수행 프로세스에서 사용하는 도구 및 기법에 해당되지 않는 것은 다음 중 어느 것인가?

① Bidder conferences

② Proposal evaluation

③ Negotiation

④ Claim administration

117 당신은 프로젝트 관리자로서 계약을 완료하고 판매자와 회의를 하고 있다. 주기적인 회의를 통하여 판매자의 작업성과 정보를 알고 싶을 때 무슨 요소들이 사전에 준비가 되어야 하나? 조달 통제의 입력물을 바르게 적은 것은 어느 것인가?

① Procurements documents, Validated deliverables

② Agreements, Work performance data

③ Closed agreement, Requirements tracebility matrix

④ Work performance reports, Selected sellers

118 이해관계자 참여 관리(Manage stakeholder engagement)에 들어가는 입력물이 아닌 것은 다음 중 어느 것인가?

① Stakeholder engagement plan
② Communication management plan
③ Work performance data
④ Change log

119 프로젝트 헌장 개발에서 입력물로 투입되는 Business case에 포함되는 것에서 중요도가 상대적으로 떨어지는 것은 다음 중 어느 것인가?

① 전략적인 분석
② 재무적인 분석
③ 비즈니스 니즈
④ 일정 예측치

120 분할(Decomposition)의 도구 및 기법을 사용하는 프로세스들을 맞게 모은 것은?

① 범위 정의(Define scope), 활동 정의(Define activities)
② Create WBS, 활동 정의(Define activities)
③ Create WBS, 원가 산정(Estimate costs)
④ 활동 정의(Define activities), 리스크 식별(Identify risks)

121 품질관리 프로세스의 도구 및 기법이 아닌 것은 다음 중 어느 것인가?

① Data gathering

② Cost of quality

③ Design for X

④ Audits

122 자원관리에서 자원을 획득하는 프로세스에 사용되는 도구 및 기법에 포함되지 않는 것은 다음 중 어느 것인가?

① 사전 배정(Pre-assignment)

② 협상(Negotiation)

③ 가상팀(Virtual team)

④ 분할

123 조달 통제 프로세스에서 사용되는 도구 및 기법에 해당하는 것이 아닌 것은 다음 중 어느 것인가?

① Inspection

② Claims administration

③ Performance reviews

④ Procurement Negotiations

124 프로세스 그룹 간에는 어느 정도 서로 상호 연관 작용을 하게 되는데 다음 중 프로세스 그룹 간 가장 연관성이 밀접하게 많이 발생하는 그룹들은 어느 것인가?

① 착수 프로세스 그룹과 기획 프로세스 그룹
② 기획 프로세스 그룹과 실행 프로세스 그룹
③ 실행 프로세스 그룹과 종료 프로세스 그룹
④ 착수 프로세스 그룹과 종료 프로세스 그룹

125 당신의 팀원 중 한 명이 이야기하기를 그가 일하는 많은 프로젝트에서 어떤 프로젝트가 가장 중요한지 도대체 모르겠다고 한다. 누가 회사에서 프로젝트들의 우선순위를 결정해야 하나?

① 프로젝트 관리자
② 프로젝트 관리팀
③ 프로젝트 관리 오피스(PMO)
④ 고객

126 시장 수요, 비즈니스 요구 사항 및 법적 요구사항의 예들은 다음 중 무엇을 준비하기 위한 이유인가?

① 프로젝트 관리자를 채용하기 위한 이유
② 프로젝트를 후원하는 이유
③ 사람이나 기업이 이해 관계자가 될 이유
④ 프로젝트 착수를 위한 이유

127 활동 순서 배열 프로세스의 산출물은 다음 중 어느 것인가?

① 일정 기준선

② 산정 기준서

③ 프로젝트 일정 네트워크 다이어그램

④ 활동 속성

128 지속적인 운영과 유지의 검토는 프로젝트의 제품에는 매우 중요하다. 지속적인 운영과 유지에 대한 설명을 잘 나타낸 것은 다음 중 어느 것인가?

① 프로젝트 종료 동안 수행되어야 할 활동으로 포함되어 있다.

② 프로젝트 생애주기에서 부분 단계로 되어야 한다. 왜냐하면 생애주기 비용의 많은 부분이 유지와 운영과 관련이 있기 때문이다.

③ 프로젝트 부분의 관점으로 볼 수는 없다.

④ 별도 프로젝트의 관점으로 봐야 한다.

129 프로그램에 대한 설명 중 가장 타당한 것은 다음 중 무엇인가?

① 회사 경영의 전략적인 결정으로 착수가 된다.

② 관련되는 프로젝트를 같이 관리하여 혜택을 얻기 위해 방법이다.

③ 관련은 없는 프로젝트를 같이 관리하여 회사의 전략적 목표를 달성한다.

④ 프로그램은 중요한 프로젝트의 우선순위를 결정해서 투자하고 관리하여 효율적인 투자와 회사의 목표를 달성하는데 목표가 있다.

130 회사는 프로젝트의 성능을 개선하는 노력을 하고, 또한 과거 프로젝트의 교훈 사항을 만들고 있다. 이러한 작업을 수행하는 가장 좋은 방법은 무엇인가?

① Lessons learned를 만든다.

② 프로젝트 관리 계획을 작성한다.

③ 네트워크 다이어그램을 작성한다.

④ 현황 보고서를 만든다.

131 팀은 프로젝트 종료와 관련된 정보를 준비하고 있다. 이에 최종보고서 작성 시 필요하지 않은 것은 다음 중 어느 것인가?

① 최종 프로젝트 차이에 대한 요약정리

② 프로젝트 변경 이력들의 요약

③ 발생한 리스크 및 이슈들의 요약

④ 다음 프로젝트에서 완료해야 할 작업

132 프로젝트 종료 및 조달 통제의 계약 종료는 모두 프로젝트의 필수 작업이다. 이 두 가지 활동 중 공통으로 갖는 것 중에서 가장 중요한 것은 다음 중 어느 것인가?

① 프로젝트 자원의 해제를 가져온다.

② 프로젝트 교훈 사항을 작성하여 마무리한다.

③ 해결해야 할 클레임이 발생할 수 있다.

④ 각 프로젝트 단계의 끝에서 수행된다.

133 프로젝트팀이 초기 개략적인 프로젝트 일정과 예산을 완료했다. 프로젝트 착수 승인이 방금 완료되었다. 그렇다면 다음으로 할 일은 무엇인가? 가장 바람직한 것은?

① 리스크를 식별한다.
② 이해관계자들을 식별한다.
③ 일정 관리계획을 만든다.
④ 조달관리계획을 만든다.

134 당신은 프로젝트 관리자로 프로젝트 일정을 완성하려고 한다. 다음 중에서 상세한 프로젝트 일정은 무엇이 완료되어야 만들어질 수 있는가?

① 원가 기준선
② 범위 기준선
③ 이해관계자 관리 계획
④ 리스크 관리 계획

135 프로젝트를 기획하는 데 있어서 프로젝트의 통제 책임과 권한을 갖는 사람은 누구인가?

① 스폰서
② PMO(Project management office)
③ 프로젝트 관리자
④ 외부 컨설턴트

136 자원관리계획 수립 프로세스의 입력물이 아닌 것은 다음 중 어느 것인가?

① 요구사항 문서
② 리스크 관리대장
③ 자원 달력
④ 이해관계자 관리대장

137 활동기간 산정 프로세스의 도구 및 기법에 해당이 되지 않는 것은 다음 중 어느 것인가?

① 유사산정　② 모수산정
③ 의사결정　④ 가정사항분석

138 활동 기간 산정 프로세스의 도구 및 기법에서 3점 산정의 내용에 포함이 안 되는 것은 다음 중 어느 것인가?

① 최빈치　② 낙관치
③ 평균치　④ 비관치

139 일정 개발 프로세스의 입력물이 아닌 것은 다음 중 어느 것인가?

① 활동 속성　② 리스크 관리대장
③ 마일스톤 목록　④ 이슈 기록부

140 일정 개발 프로세스의 산출물에 해당이 되지 않는 것은 다음 중 어느 것인가?

① 일정 기준선　② 프로젝트 일정
③ 자원 달력　④ 프로젝트 달력

141 착수 프로세스 그룹에서 수행하여야 하는 일을 가장 적절하게 표현한 것은 다음 중 어느 것인가?

① 프로젝트 산출물에 대한 자세한 설명서를 작성한다.
② 프로젝트와 관련된 조직 프로세스 자산을 잘 검토한다.
③ 품질 문제의 근본 원인을 분석한다.
④ 이해관계자들의 강점 및 약점을 파악하여 대응 전략을 세운다.

142 비즈니스 가치를 제외하고 다음 중 프로젝트 승인을 위한 중요한 사전 조건은 무엇인가?

① 조직 전략과 프로젝트의 연계
② 낮은 수준에서 중간 수준의 리스크 분석 수행
③ 프로젝트가 끝날 때까지 명확한 로드맵
④ 현재 및 잠재 고객의 프로젝트 참여 의사

143 착수 프로세스 그룹에서 수행되는 것이 아닌 것은 다음 중 어느 것인가?

① 비즈니스 요구사항을 식별하고 문서화한다.
② 프로젝트 요구사항 문서와 요구사항 추적 매트릭스를 만든다.
③ 다양한 문서로부터 이해관계자들을 식별하고 이해관계자 관리대장을 만든다.
④ 기업환경요인을 분석하고 이를 프로젝트 타당성 검토 시 반영한다.

144 일정 통제 프로세스 입력물이 아닌 것은 다음 중 어느 것인가?

① 일정 기준선

② 작업성과 데이터

③ 작업성과 보고서

④ 자원 달력

145 효과적인 프로젝트의 통합관리를 잘하려면 어느 부분이 잘 수행되어야 하는가?

① 팀 구성원의 개인 경력관리 및 팀 빌딩 향상

② 주기적인 프로젝트 관리계획의 갱신

③ 제품의 품질 통제

④ 프로젝트 이해관계자들과의 효과적인 의사소통

146 베타 기업은 대부분 수익이 경쟁 입찰에 진행하는 프로젝트 기반 회사이다. 마케팅 및 영업 부서는 입찰 그룹을 평가하여 입찰을 준비한다. 프로젝트 관리자는 계약서가 끝날 때까지 배정되지 않았다. 어떤 문서에서 개략적인 요구 사항이 프로젝트 관리자의 검토를 위해 처음 나타나는가?

① 프로젝트 헌장

② 프로그램 관리 계획

③ WBS

④ 조달 작업 기술서

147 자원관리계획 수립 프로세스의 도구 및 기법에 해당하지 않는 것은 다음 중 어느 것인가?

① 전문가 판단
② 조직론
③ 델파이 기법
④ 데이터 표현

148 프로젝트는 프로젝트 헌장의 변경 때문에 늘 문제가 된다. 변경과 관련하여 누가 프로젝트 헌장 변경이 필요할지를 결정하는가?

① 프로젝트 관리자
② 스폰서
③ 프로젝트팀
④ CCB(Change Control Board)

149 프로젝트 관리자로서 통합자의 역할을 잘 묘사한 것은 다음 중 어느 것인가?

① 팀원들이 프로젝트와 친숙하게 만드는 데 도와준다.
② 프로젝트의 모든 요소의 균형을 유지하고 조화롭게 만든다.
③ 프로젝트의 요소들을 잘 유지하여 프로그램으로 만든다.
④ 모든 프로젝트팀원들을 모두 친밀하게 만든다.

150 통합 변경 통제 프로세스를 통해 변경요청에 대해 승인이 이루어지면 다음 단계로 이에 대한 부분이 수행되어야 한다. 그렇다면 승인된 변경 요청이 들어가는 프로세스는 다음 중 어느 것인가?

① 범위 확인
② 프로젝트 작업의 지시 및 관리
③ 품질관리
④ 조달 수행

2회 정답 및 해설

1	2	3	4	5	6	7	8	9	10
③	③	③	②	②	②	②	②	②	②
11	12	13	14	15	16	17	18	19	20
①	③	④	①	④	③	③	②	④	③
21	22	23	24	25	26	27	28	29	30
③	②	①	④	①	①	②	③	④	①
31	32	33	34	35	36	37	38	39	40
①	②	②	②	①	①	②	③	②	②
41	42	43	44	45	46	47	48	49	50
④	①	③	③	③	③	③	②	②	④
51	52	53	54	55	56	57	58	59	60
②	①	③	③	①	②	③	③	②	②
61	62	63	64	65	66	67	68	69	70
③	③	①	②	④	②	③	④	③	③
71	72	73	74	75	76	77	78	79	80
②	③	②	④	①	③	④	①	④	④
81	82	83	84	85	86	87	88	89	90
③	④	①	④	④	①	③	④	④	④
91	92	93	94	95	96	97	98	99	100
①	③	②	④	②	②	②	④	④	④
101	102	103	104	105	106	107	108	109	110
④	①	①	③	①	④	③	③	④	②
111	112	113	114	115	116	117	118	119	120
④	②	②	③	④	④	②	③	④	②
121	122	123	124	125	126	127	128	129	130
②	④	④	②	③	④	③	③	②	①
131	132	133	134	135	136	137	138	139	140
④	②	②	②	③	③	④	③	④	③
141	142	143	144	145	146	147	148	149	150
②	①	②	②	④	①	③	②	②	②

01 정답 ③

프로젝트 진행 시 문제가 발생하면 먼저 팀원들과 원인을 분석하고 대안을 찾는 게 우선이다. 그런 다음 상사에게 보고도 하고 고객에게 통보하여 최적인 방법으로 상황을 해결하여야 한다.

02 정답 ③

매개변수 산정이라고 하며 또 같은 비율로 계산하는 Parametric estimating(모수 산정) 방식이다. 쉽게 추정은 가능하지만, 학습곡선을 무시하였고, 제품처럼 실체적인 부분은 가능하지만 보이지 않는 비 실체 제품의 추정에는 어려움이 많다.

03 정답 ③

04 정답 ②

WBS(Work breakdown structure)에서 인도물을 더 작게 분할하여 관리 가능한 요소가 되어 완료하게 되면 Work package를 대상으로 활동을 식별하고 전개하여 일정을 만들고 원가 추정이 유리하다.

05 정답 ②

매트릭스 조직에서는 팀원들은 기능 부서장 및 프로젝트 관리자에게 보고해야 하는 정보 흐름이 있어 수직 및 수평의 정보 흐름이 있다.

06 정답 ②

조달과 관련 계약으로 이루어진 부분이기에 먼저 계약 조항을 꼼꼼히 확인하고 관련된 조치를 취하는 게 좋다. 무조건 팀과 회의를 하는 것보다 계약 내용을 정확히 파악하는 것이 필요하다.

07 정답 ②

프로젝트 상황에서 문제는 많이 발생한다. 관리자는 문제에 대해 먼저 관리하는 자원으로 해결 후 관련 내용을 고객에게 통보하고 자원 관리자에게 알리고 필요시 도움을 요청한다.
자원 관리자는 기능 부서장인 경우가 많다. 다른 방법으로는 PM이 도움을 PMO에 요청할 수도 있다.

08 정답 ②

WBS(Work breakdown structure), 일정 개발은 주로 프로젝트팀원들에 의해 만들어지고, 자원 부분은 일정 관리의 한 부분이다. 핵심 이해관계자로부터는 프로젝트의 인도물의 정의 및 제약사항 및 제품 산출물에 대한 부분을 결정한다.

09 정답 ②

약한 매트릭스 조직에서는 프로젝트 조정자는 의사결정에 관련하여 사안에 따라 의사결정을 할 수도 있다. 반면에 Expeditor는 순수 지원 역할만 한다. 이런 조직에서는 조직 내부에 프로젝트 관리자가 존재하지 않는다.

10 정답 ②

11 정답 ①

기능 조직에서 프로젝트 관리자는 자원에 대해 대부분 기능 부서장에게 의존하게 된다.

12 정답 ③

매트릭스 조직에서 기능 부서장과 프로젝트 관리자가 같이 존재하므로 팀원들은 한쪽 일에 집중할 수가 없다.

13 정답 ④

14 정답 ①

Projectized 조직에서는 프로젝트 관리자가 해당 프로젝트에 책임을 지게 되므로 가장 권한이 많다.

15 정답 ④

16 정답 ③

관리자 A는 프로젝트 상황에서 촉진자 또는 조정자의 역할을 하고 있다.

17 정답 ③

이 문제의 핵심 포인트는 아직 확신이 서지 않고 망설이는 상태이고 이해관계자들이 민감하게 반응을 하고 있으므로 PMO의 자문을 받는 것이 최선이다. 물론 ①, ②도 틀린 말은 아니지만, 현재 상황에는 ③이 가장 효과적인 방법이다.

18 정답 ②

프로젝트 관리자가 선택할 수 있는 많은 것들이 있다. 다른 프로젝트 관리자 경험이 중요하지만, 최선은 아니며, 우선적으로 PMO에 접촉하여 유사 프로젝트의 기록 정보의 지식을 얻어 검토하고 다음 단계로 전문가 판단을 받을 수 있다.

19 정답 ④

프로젝트 생애주기와 프로젝트 생애주기는 일반적으로 같이 시작하지만, 프로젝트가 완료되면 산출물은 제품 생애주기의 연속성에 반영되어 제품의 생산이 중단될 때까지가 지속한다.

20 정답 ③

구매행위는 일반적으로 운영관리이다. 계획이 없는 프로젝트는 존재할 수가 없다.

21 정답 ③

프로젝트 범위 기술서는 범위 정의의 산출물이고, 요구사항 문서는 요구사항 수집의 산출물이다. 비즈니스 케이스는 프로젝트 헌장의 입력물이다. 리스크 목록은 리스크 식별 프로세스의 산출물이다.

22 정답 ②

범위 기준선은 승인받은 WBS(Work breakdown structure), WBS dictionary, 프로세스 범위 기술서를 포함하고 있으며 이는 Create WBS process에서 만드는데, 이 프로세스는 기획 프로세스 그룹에 속해있다.

23 정답 ①

변경 요청은 프로젝트의 모든 이해관계자가 요청할 수 있다. 단 프로젝트 범위 안에 없는 외부인은 할 수 없다.

24 정답 ④

벤치마킹은 요구사항 수집의 도구 및 기법이다. 범위 정의 프로세스의 도구 및 기법에는 전문가 판단, 제품 분석, 대안 생성 등이 있다.

25 정답 ①

프로젝트 관리자가 직접 자신이 결정을 내리는 것은 독단적 리더십, 즉 지시적 리더십이다.

26 정답 ①

Critical path상의 Float는 0이다. 즉 여유시간이 전혀 없다. 또한 Float 0의 연결선이라고도 한다.

27 정답 ②

Project의 목표 달성에 긍정적 또는 부정적 영향을 미치는 불확실한 사건이나 이벤트는 Risk에 대한 정의이다.

28 정답 ③

SWOT 분석은 리스크 식별 시 사용되는 도구이다.

29 정답 ④

30 정답 ①

프로젝트 추진 중 발생하는 문제의 요인이 되는 변수 또는 파라미터에 대한 관계를 도식화하는 기법은 Scatter diagram이다. 산점도에는 2가지 변수로 상관관계를 만든다.

31 정답 ①

요구사항 수집 프로세스에는 Proto-type을 포함하여 많은 도구 및 기법이 사용된다.
요구사항 수집 프로세스의 도구 및 기법에는 인터뷰, 핵심그룹, 심층 워크숍, 집단 창의력 기법, 집단 의사결정 기법, 설문지 및 설문조사, 관찰, 프로토타입, 벤치마킹, 업무 배경도, 문서 분석이 있다.

32 정답 ②

Finish to Finish인 연관 관계이다.

33 정답 ②

계획과 관련하여 시간이 지날수록 구체화하는 것을 나타내는 용어는 Rolling wave planning이다. 계획과 실행이 loop 형태로 반복되면서 시간이 지나면서 더욱더 상세해지는 것을 의미한다.

34 정답 ②

가장 좋은 갈등 해결방법은 문제 해결 방식이지만, 시간이 오래 걸리는 단점이 있다.
이 문제에서는 일정이 촉박한 상태이므로 타협을 만들어야 한다.

35 정답 ①

PMO 역할은 프로젝트에서 관리 방법론 및 프레임을 제공하는 것이다.

36 정답 ①

자금 한도 조정(Funding limit reconciliation)은 프로젝트 자금을 집행할 때 자금 한도에 맞춰 지출을 조정하는 것으로 산출물이 아닌 도구 및 기법이다. 자금 한도 조정으로 결과로 프로젝트 자금 요구사항(Project funding requirements)이 나오게 되는 것이다.

37 정답 ②

변경 통제 도구는 통합 변경 통제 수행 프로세스의 도구 및 기법이다, 검증된 인도물은 품질통제의 산출물이다. 변경요청은 산출물이 아니고 입력물이다. 승인된 변경요청이 이루어지면 실행에서 변경사항을 수행하고 프로젝트 관리 계획과 문서를 갱신하여야 한다. 변경에는 늘 문서와 계획이 같이 수정되어야 문제가 없다. 변경에 따른 버전 관리가 이루어지고 변경에 따른 기준선의 변경 등 계획이 갱신된다.

38 정답 ③

일정 개발에 있어 일정 단축 기법에는 대표적으로 Crashing과 Fast tracking이 있다. 이 중에서 Fast tracking은 보통 순차적으로 진행될 활동을 병행하여 진행한다. 리스크를 수반하지만, 추가 자원을 투입하지 않고 일정을 단축하기 때문에 먼저 검토되어야 한다.

39 정답 ②

Lag는 후속 작업의 고의적으로 지연을 만드는 논리적 관계를 의미한다. 예를 들면, 콘크리트 작업의 경우 작업 후 일정 시간이 경과되어야 후행 작업(예: 바닥 작업)이 가능하기 때문에 고의로 후행 작업을 지연시켜야 한다, 그렇게 하지 않으면 문제가 발생하다. 따라서 Lead와 lag는 자연스러운 활동의 논리적 관계이며 일정의 단축 및 지연 기법과는 다르다.

40 정답 ②

일정관리에서 활동기간산정 프로세스 산출물은 기간 산정치와 산정기준서이다.

41 정답 ④

마일스톤 차트는 주요 인도물에 대한 시점을 경영층에게 보고하기 좋게 만든 일정 차트이다.

42 정답 ①

프로젝트 일정 단축은 근본적인 일정 관리의 목적은 아니다. 프로젝트 기간 단축에 대한 기법이 나오긴 하지만, 일정 관리의 근본은 일정을 잘 연결하고 잘 만들어 효과적으로 일정을 관리하는 데 있다.

43 정답 ③

프로젝트 수행에 대한 교훈(lessons learned)이 주기적으로 정리되다가 종료 시 최종 완성이 된다. 이것은 프로젝트 관리자의 주관으로 팀원이 같이 완성하는 것이다.

44 정답 ③

작업성과보고서는 의사소통계획에 따라 실행프로세스인 의사소통관리 프로세스에서 이해관계자들에게 주기적으로 배포되는 중요한 문서이다.

45 정답 ③

프로젝트 관리에서 의사소통 계획이란 이해관계자에 대한 정보와 의사소통의 방법, 주기 등 의사소통을 위한 부분을 정의하고 가이드하는 프로세스이다. 가장 중요한 것은 작업성과보고서를 이해관계자들에게 적절히 배포하는 부분이 핵심으로 되어있다.

46 정답 ③

이해관계자 관리대장은 의사소통 계획 준비 시에 이미 반영되며 실행 때는 필요하지 않다.

47 정답 ③

기본적으로 감시 및 통제 프로세스 그룹에서 통제 프로세스들은 입력물로 기준과 실적을 바탕으로 차이를 비교하여 산출물로 작업성과 정보와 차이가 발생 시 변경 요청을 하게 된다.

48 정답 ②

49 정답 ②

환율 변동은 기업환경요인의 한 부분이다.

50 정답 ④

판매자 제안서는 조달 수행의 입력물이다. 조달 통제는 기준과 실적을 비교하게 되는데 입력물로 조달관리계획서, 조달 문서, 계약, 승인된 변경 요청, 계약서, 작업성과자료가 들어가며 주로 계약서가 기준이 되고 실적으로는 작업성과 데이터가 된다.

51 정답 ②

52 정답 ①

53 정답 ③

균형 매트릭스(balanced Matrix) 조직구조에는 직원은 기능 부서장에게는 평상의 운영 작업 관련된 업무 보고를 해야 하고, 프로젝트 관리자에게는 프로젝트와 관련된 업무 보고를 해야 하기 때문에 이중 보고의 문제점이 있다. 직원은 항시 두 가지를 업무 체계로 근무하기 때문에 항상 바쁘고 업무량이 많다. 회사에서는 자원 운용의 극대화라는 측면이 이점이 있다.

54 정답 ③

55 정답 ①

전문가 판단(Expert judgment)은 주제 관련 전문가에 의존하는 것이다. 통합관리 지식 영역에서 전문가 판단이 공통적으로 도구 및 기법으로 사용됨을 알 수 있다. 그 이유는 상위 프로세스이기 때문에 개략적이고, 그런 이유도 전문가 판단에 의존하게 된다.

56 정답 ②

범위 확인(Validate scope)을 통해 공식적으로 인수된 인도물들(Accepted deliverables)로 최종 제품, 결과 또는 서비스 형태로 고객에게 이관된다.

57 정답 ③

Control account는 work package보다 상위 요소로, Work package의 묶음이며, 한 개 Work package는 여러 개의 Control account에 포함되면 안 된다. Control account는 회사의 회계 계정과 연결이 되어 있어, 프로젝트 진행 동안 얼마나 비용을 사용하는지를 감시 및 통제할 수 있다.

58 정답 ③

프로젝트 범위 기술서(Project scope statement)는. 주요 인도물, 프로젝트 목표, 가정 사항, 제약사항, 작업 기술서가 포함되며, 향후 프로젝트 의사결정과 이해관계자 간 프로젝트 범위를 확인하고 공통적인 이해를 도출하는데 필요한 기초자료를 제공한다 WBS(Work breakdown structure) 만들기의 입력물이 된다. 요구사항을 계속 수집하다가 특정 시점에서 범위를 확정하고 문서로 정하게 된다. 즉 프로젝트에서 할 범위(일)들을 상세하게 기술하는 문서가 나오게 될 것이다. 이를 프로젝트 범위 기술서라 한다. 이 문서는 프로젝트 및 제품의 상세 설명 및 가정 및 제약사항을 포함하고 있어 범위 기준선의 구성요소뿐만 아니라, 일정/비용 산정 및 리스크 관리에도 사용된다.

59 정답 ②

일정의 3요소(순서, 자원, 기간)의 관련 프로세스의 산출물 등을 투입물로 받아 최종적으로 만들어지고 일정 기준선이 만들어지는 프로세스는 일정 개발(Develop schedule)이다.

60 정답 ②

품질 통제(QC)는 결과의 품질에 대한 확인이다. 전체 실행에서 인도물을 받아 검사를 통해 검증하고, 품질 통제를 통과한 인도물은 검증된 인도물(Verified deliverables)이라고 부르며, 전체 요구사항을 확인하는 범위 확인 프로세스로 들어간다.

61 정답 ③

작업성과 보고서(Work performance reports)는 매우 중요한 문서이다. 범위, 일정, 원가 기준선들과 작업성과정보와 작업성과 데이터를 바탕으로 만든 보고서이다. 획득 가치 분석을 통해 나온 SV, CV, SPI, CPI, EAC를 분석하여 Report를 만들면 이해관계자들이 쉽게 프로젝트의 현재 현황과 향후 추이를 판단할 수 있다.

62 정답 ③

Scope creep은 문자 그대로 살금살금 범위를 조용히 증가시키는 것으로, 만일 방치하면 비용/일정 증가 및 인수거부 등이 나타날 수 있는 프로젝트실패의 원인이 된다. 프로젝트 관리자는 변경통제 등을 통해 작은 변경사항도 철저히 감시하고 Scope creep이 발생하지 않도록 미연에 예방조치(교육) 등을 하여야 한다.

63 정답 ①

64 정답 ②

연동 기획(Rolling wave planning)은 프로젝트 생애주기 동안 반복적으로 활동을 정의하고, 활동 목록은 갈수록 구체화한다. 초기에 모든 활동이 결정되기 어려우므로 어떤 활동은 상위 수준에 있게 되며 이러한 상위 수준의 활동들이 시간이 지나면서 점차 상세 수준의 활동으로 된다.

65 정답 ④

활동 정의의 산출물에는 Activity list, Activity attributes와 Milestone list가 있다.
Project network diagram은 활동 순서 배열을 한 후에 나오는 산출물이다. Milestone list가 나오는 이유는 입력에 Scope baseline 때문인데 Project scope statement에는 일정과 관련하여 Mile-stone list가 존재하기 때문이다.

66 정답 ②

입찰자 회의(Bidder conferences)는 조달 수행 프로세스에서 업체 담당자들을 한곳으로 모아 제안설명을 하는 회의를 의미한다. 모든 잠재적 판매자들이 조달에 대해 분명하고 공통된 이해를 얻도록 보증하는 것이 회의의 목적이다. Contractor conferences, vendor conferences, pre-bid conferences라고도 한다.

67 정답 ③

68 정답 ④

대화식 의사소통은 쌍방이 대화를 주고받는 방법으로 예를 들어 미팅, 전화 통화, 화상 회의 등이 있다. 이메일링은 Push communication의 한 방법이다.

69 정답 ③

70 정답 ③

일정 개발(Develop schedule)의 입력물은 일정관리와 관련된 활동 정의의 산출물과 흐름, 자원, 기간의 산출물을 전부 받는다. 즉 활동목록, 활동 속성, 프로젝트 일정 네트워크 도, 활동자원 요구사항, 자원 달력, 활동기간 산정치, 기업 환경 요인, 조직 프로젝트 자산 등이다.

71 정답 ②

다른 부분은 중요도가 있지만, 후속 프로젝트의 교훈 사항의 작성에 도움이 되기 위해 사용되는 부분은 미시적이다.

72 정답 ③

Slack, Total float, Float는 전체 프로젝트 기간을 지연시키지 않고 단위 활동이 가질 수 있는 여유 기간이며, 반면에 Free float는 후속 공정을 시작일을 지연시키지 않고 가질 수 있는 여유 기간이다.

73 정답 ②

변경 통제 도구는 통합 변경 통제 수행 프로세스의 도구 및 기법이고, 검증된 승인된 변경 요청은 품질 통제와 조달 통제의 산출물이다. 변경 요청은 산출물이 아니고 입력물이다. 승인된 변경 요청이 이루어지면 실행에서 변경사항을 수행하고 프로젝트 관리 계획과 문서를 갱신하여야 한다. 변경에는 늘 문서와 계획이 같이 수정되어야 문제가 없다. 변경에 따른 버전 관리가 이루어지고 변경에 따른 기준선의 변경 등 계획이 갱신된다.

74 정답 ④

Prototypes는 요구사항 수집의 도구 및 기법이다. 범위 정의 프로세스의 도구 및 기법에는 전문가 판단, 데이터 수집, 데이터 분석, 의사결정, 데이터 표현, 프로토타입 등이 있다.

75 정답 ①

요구사항수집프로세스에는 Prototype을 포함하여 많은 도구 및 기법이 사용된다.
요구사항수집프로세스의 도구 및 기법에는 인터뷰, 핵심그룹, 의사결정, 설문지 및 설문조사, 관찰, 프로토타입, 업무 배경도, 문서분석이 있다.

76 정답 ③

77 정답 ④

78 정답 ①

79 정답 ④

구매 및 조달, 회계, 일반 자재구매, 생산관리 및 생산부서는 비슷한 산출물을 반복하는 일을 하는 운영조직으로 봐야 한다. 제품 개발 부서는 일반적으로 신제품을 연구 개발하므로 프로젝트의 특성인 유일하고 일시적인 일을 수행하는 부서로 봐야 한다.

80 정답 ④

착수 단계에서는 범위가 상세하지 않으므로 불확실성이 높고 그에 따른 이해관계자의 영향력이 크다. 점진적 구체화의 프로젝트 특성처럼 프로젝트가 진행되면서 후반으로 갈수록 범위가 상세화되므로 불확실성이 줄어든다. 따라서 종료 단계에서는 단계 중 불확실성의 정도가 가장 낮고 이해관계자의 영향력도 가장 낮고 리스크 역시 가장 적으나, 만일 변경이 발생하면 변경과 관련된 비용이 가장 크게 나타난다.

81 정답 ③

통합 변경 통제 수행은 감시 및 통제 프로세스 그룹에서 전체 변경 요청에 따른 승인 및 거부를 하는 프로세스이다. 변경관리가 프로젝트에서 매우 중요한 부분이므로 통합 관리 지식 영역에 속하면서 감시 및 통제 프로세스에 속한다.

82 정답 ④

Supportive(지원형)는 컨설팅의 역할을 하며 템플릿의 제공, 모범 관행의 개발, 훈련을 제공한다. Controlling(통제형)은 다양한 방법을 통한 준수 요구하고 템플릿, 양식, 도구, 거버넌스에 대한 준수 등을 요구하며 통제를 한다. Directive(지시형)은 직접 프로젝트에 들어와서 상위수준에서 직접 통제를 한다. PMO에 대한 PMBOK에서의 정의에 통합형은 없다.

83 정답 ①

일반적으로 조직 프로세스 자산은 Template 및 표준에 관한 것과 지식 관련된 부분, 이 두 가지를 포함한다. 조직 프로세스 자산에서 지식과 관련된 자산은 프로젝트를 진행하면서 생긴 결과물들이 축적된 것으로 교훈 사항, Lessons learned, 각종 데이터 및 작업성과보고서 등이 포함된다.

84 정답 ④

Projectized 조직의 주요 단점은 프로젝트가 완료되면 팀이 해체되어 기능 부서로 돌아가거나 다른 프로젝트의 조직에 합류한다.

85 정답 ④

86 정답 ①

Projectized 조직에서는 프로젝트 관리자가 해당 프로젝트에 책임을 지게 되므로 가장 권한이 많다.

87 정답 ③

88 정답 ④

89 정답 ④

90 정답 ④

이해관계자 관리대장은 이해관계자 식별 프로세스의 산출물이다.

91 정답 ①

92 정답 ③

기획 프로세스 그룹이 가장 많은 프로세스를 보유하고 있으나 시간과 자원이 가장 많이 소요되는 것은 실행 프로세스 그룹이다. 건축에서 설계도는 계획, 실제 집을 건축하는 것을 실행으로 비유하여 보면 이해가 쉽다.

93 정답 ②

프로젝트 요구사항 문서와 요구사항 추적 매트릭스는 기획 프로세스 그룹에서 발생한다.

94 정답 ④

95 정답 ②

교훈 사항은 일반적으로 리스크 관리에서 사용된다. 리스크 관리는 예전의 성공과 실패 원인 및 내용을 기록함으로써 해당 프로젝트의 문제 예방에 도움이 된다.

96 정답 ②

97 정답 ②

98 정답 ④

작업 실행의 산출물은 당연히 작업 실행을 하였으나 인도물(결과물)이 나와야겠고, 그 인도물이 나올 때 소요된 작업성과 데이터(비용/일정/품질/기타 리스크 등) 등 Raw data가 나온다. 또한 작업 실행 중 문제가 생기는 부분은 즉시 변경 요청을 해서 개선을 하여야 한다. 작업성과 정보는 감시 및 통제 프로세스에서 기준과 실적을 비교하여 나오는 정보이다.

99 정답 ④

100 정답 ④

프로젝트 지식관리 프로세스 산출물은 Lessons learned register이다.

101 정답 ④

품질비용은 원가산정 프로세스의 도구 및 기법이다. 원가 합산 및 자금 한도 조정은 예산 결정에서 사용되는 도구 및 기법이다.

102 정답 ①

범위 관리계획의 산출물은 범위 관리계획, 요구사항 관리계획이고 요구사항 수집 프로세스의 산출물은 요구 문서와 요구사항 추적 매트릭스이다.

103 정답 ①

문제해결(Problem solving) 방법은 갈등 해결의 방법 중에서 시간이 많이 소요되지만 가장 좋은 방법으로 서로 이기는 Win-win 전략이라 한다. 기타 방법으로는 회피(Avoiding/Withdrawing), 타협(Compromising), 강요(Forcing), 완화(Smoothing) 등이 있다.

104 정답 ③

기본 의사 모델의 단계의 흐름은 Sender가 정보를 Encode → Transmit message → Receiver가 정보를 Decode → Acknowledge message → Sender에 도착이다. Noise는 Sender와 Receiver 간 정보 흐름을 방해하는 요소로 흐름에는 포함되지 않는다.

105 정답 ①

②~④번 이외에도 Communicarion technology와 Performance reporting 등이 포함된다. 전문가 판단은 해당하지 않는다.

106 정답 ④

의사소통 통제 프로세스에서는 기준으로 Project communications (Delivetables status, Schedule progress, Cost incurred) 등을 토대로 Work performance data와 비교하여 Work performance information을 만들어 낸다. 이 Work performance information은 전체 감시 및 통제 프로세스에 들어가서 Work performance reports를 만드는데 중요한 자료를 제공한다.

107 정답 ③

리스크 식별에는 활동 원가 산정치와 원가 산정치가 들어간다. 그 이유는 산정의 범위가 크고 넓은 것일수록 리스크의 발생 확률이 크기 때문이다. 인적 자원 계획의 인력관리계획, 직원들의 역할과 책임 및 조직도 등은 중요한 리스크 식별의 부분이다.

108 정답 ③

영향 관계도(Influence diagrams)는 다양한 변수와 결과물 사이의 우발적 영향, 시간순 사건 및 기타 관계를 보여주는 도표이다. 시스템흐름도(System flow charts)와 프로세스 흐름도(Process flow charts)는 시스템의 다양한 요소들의 상호연관 방식과 인과관계를 보여준다.

109 정답 ④

리스크 식별 프로세스에서는 도구 및 기법으로 문서검토(Documentation reviews), 정보수집 기법(Information gathering techniques), 체크목록 분석(Checklist analysis), 다이어그램 기법, SWOT 분석, 전문가 판단이 사용된다.

110 정답 ②

의사결정 나무는 정성적 리스크 분석수행 프로세스의 도구 및 기법이다.

111 정답 ④

리스크 감시 프로세스의 입력물은 Risk register, Work performance data, Work performance reports, Risk management plan이다.

112 정답 ②

조달관리 계획 수행의 입력물에는 프로젝트 관리계획(Scope baseline 포함), 요구사항 문서, Risk register, 자원 요구사항, 원가 산정치, 이해관계자 관리대장 및 조직 프로세스 자산 및 기업환경 요인이 들어간다. Project network diagram은 이미 일정 개발에서 프로젝트 일정을 만드는 데 사용이 되었으므로 조달관리 계획 수행에는 들어가지 않는다.

113 정답 ②

계약 양식, 표준계약 양식, 잠재 업체 목록, 구매 절차 등은 이미 회사 내부 조직 프로세스 자산이 포함이 되어 있고 각 프로젝트 관리자들이 그것을 가져다가 사용하는 것이다. 각 프로젝트에서 각자 계약 양식을 만들면 혼란이 발생한다.

114 정답 ③

조달관리 계획 수행에서 사용하는 도구 및 기법에는 Make or buy analysis, Market research, Meetings, Expert judgement가 있다. 회의하면서 계약에 대한 분석도 하겠으나 계약분석이 별도 도구 및 기법으로 분류되어 있지는 않다.

115 정답 ④

조달관리 계획수행의 산출물에는 Procurement statement of work, procurement documents, Source selection criteria, Make or buy decisionss, Change requests 등이 있다. Agreement는 조달수행이 완료되어야 나올 수 있다.

116 정답 ④

조달수행 프로세스에서 사용하는 도구 및 기법에는 Bidder conference, Proposal evaluation, Expert judgement, Advertising, Negotiation이 있다. Claim administration은 조달 통제의 도구 및 기법이다.

117 정답 ②

당신은 조달 통제의 입력물을 확인할 필요가 있다. 조달 통제 입력물에는 Procurements documents, Agreements, Approved change requests, Work performance data, Work performance reports, Project management plan이 있다. Approved change requests가 들어오는 이유는 내부적으로 수행하는 품질 통제에서 검사한다. 조달인 경우에는 계약과 관련하여 승인된 변경 요청 사항은 조달 통제에서 이 부분을 확인하여야 한다.

118 정답 ③

이해관계자 참여 관리(Manage stakeholder engagement)에 들어가는 입력물은 Stakeholder engagement plan, Communication management plan, Change management plan, Change log, Issue log, Lessons learned register, 조직 프로세스 자산 등이다.

119 정답 ④

Business case는 전략적인 부분과 재무적인 부분을 다 포함한다. Business need에는 시장의 요구, 기술의 진보, 법적 요구사항, 정부의 규정, 환경적 검토, 사회적 요구 등을 포함한다. 일정 예측치는 착수 때는 알기가 쉽지 않다.

120 정답 ②

Create WBS와 Define activities 프로세스가 분할(Decomposition)을 주요 도구 및 기법으로 사용한다. Create WBS는 Work package를 만드는 과정에서 분할기법을 사용하고, 활동 정의는 Work package를 Activities로 쪼개면서 분할기법이 사용된다.

121 정답 ②

품질관리 프로세스의 도구 및 기법은 Data gathering, Design for X, Audits등이다. Cost of quality는 품질관리계획 수립 프로세스의 도구 및 기법이다.

122 정답 ④

자원 획득 프로세스에서 사용되는 도구 및 기법에는 사전 배정(Pre-assignment), 협상(Negotiation), 가상팀(Virtual team), 그리고 다기준 의사결정 분석(Muiti-Criteria Decision Analysis) 등이 있다. 분할은 아니다.

123 정답 ④

조달 통제 프로세스에서 사용되는 도구 및 기법은 Audits, Inspection, Claims administration, Performance reviews, 전문가 판단 등이 있다.

124 정답 ②

기획 프로세스 그룹의 계획 부분과 실행 프로세스 그룹의 실행 부분은 점진적 구체화의 특성을 가지고 진행하기 때문에 상호 연관 관계가 크다. Rolling wave planning에 의해 시간에 따라 계획이 구체화하면서 실행하기 때문에 계획과 실행은 지속해서 강한 연관성을 가진다.

125 정답 ③

프로젝트 사이의 우선 순위에 대해 이야기하기 때문에 프로젝트 관리자, 프로젝트 관리팀 또는 고객은 될 수 없다. 프로젝트 간에 우선순위를 결정하는 역할이 PMO가 될 수도 있지만 가장 정확한 정답은, 보기에는 없지만 포트폴리오 관리자이다.

126 정답 ④

프로젝트가 착수의 타당성 검토 시 시장 수요, 사업상 요구, 법적 요구, 신제품의 개발 필요성, 환경적인 이유 등이 있다.

127 정답 ③

128 정답 ③

프로젝트 정의를 다시 기억하여야 한다. 운영 및 유지 보수는 지속적인 활동으로 간주한다. 따라서, 프로젝트 또는 그의 일부로 간주하지 않는다.

129 정답 ②

③, ④는 포트 포트폴리오 관리를 이야기한 것이다. ①번은 프로젝트, 프로그램, 포트폴리오 관리에 전부 해당될 수 있는 포괄적 설명이다.

130 정답 ①

지속 개선과 교훈 사항은 Lessons learned를 만들면 좋다. 과거 프로젝트의 좋은 아이디어를 사용하는 데 도움이 되고 향후 프로젝트의 개선에 연결된다. 조직 프로세스 자산이 기업의 경쟁력인데 그중에서 Lessons learned는 프로젝트의 부족한 부분과 성공의 요인 등을 같이 기록하였기에 리스크 관리 차원에서도 매우 중요한 문서이다.

131 정답 ④

최종보고서에는 이번 프로젝트에서 발생한 내용 및 정보가 포함된다. 다음 프로젝트에서 할 작업은 포함되지 않는다.

132 정답 ②

교훈 사항 정리는 프로젝트 종료나 조달의 종료나 다 필요하다. 클레임이 발생할 수 있는 부분도 공통점이나 교훈 사항 정리가 더 중요하다.

133 정답 ②

이해관계자들을 식별이 다른 부분보다 우선한다. 프로젝트 헌장 만들기와 이해관계자 식별이 착수 프로세스 그룹에 속해있는 이유이기도 하다.

134 정답 ②

프로젝트 일정이 완성되어야 예산을 확정할 수 있다. 일정은 범위관리의 범위 기준선이 확정되어야 추정이 가능하다. 그래서 일정 관리의 활동정의에 입력물로 들어가는 것이 WBS(Work breakdown structure)를 포함한 범위 기준선이다.

135 정답 ③

프로젝트가 착수되면 그다음 종료 때까지 전개되는 부분은 프로젝트 관리자의 영역이다.

136 정답 ③

137 정답 ④

138 정답 ③

139 정답 ④

140 정답 ③

141 정답 ②

착수 프로세스 그룹은 프로젝트 헌장 개발과 이해관계자 식별이다. ②는 조직 프로세스 자산을 잘 설명한 것이다. 교훈 사항 등 이전의 프로젝트 자산을 잘 검토하는 것은 매우 중요하다.
①, ④ 는 기획 프로세스 그룹에서 발생하는 일들이며 ③은 감시 및 통제 프로세스 주로 발생한다.

142 정답 ①

프로젝트와 조직 전략과 연계의 중요성은 늘 강조되고 있다. 이런 부분이 프로젝트 경영이고 편익 관리와 비즈니스 타당성의 점검과 늘 연계되어 있다.

143 정답 ②

프로젝트 요구사항 문서와 요구사항 추적 매트릭스는 기획 프로세스 그룹에서 발생한다.

144 정답 ②

145 정답 ④

자원관리 및 프로젝트 관리 계획의 주기적인 갱신도 중요하지만 가장 핵심은 프로젝트 이해관계자들과의 효과적인 의사소통관리이다.

146 정답 ①

프로젝트 착수와 관련하여 개략적인 요구사항은 프로젝트 헌장 안에 포함이 된다. ④번 조달 작업 기술서는 외주를 줄 때 구체적인 내용이 기입되어 사용된다.

147 정답 ③

148 정답 ②

스폰서는 프로젝트 헌장을 승인하고 그 이후에 변경할 건지에 대해 결정한다. 주로 프로젝트 헌장의 변경과 관련하여서는 프로젝트 타당성 검토와 관련하여 이루어진다. 단계별 비즈니스 필요에 대한 검토가 이루어지면 다음 단계로 진행할 건지 아니면 프로젝트를 수정 또는 취소할 건지는 스폰서가 결정하게 된다. 차터에 대해서는 스폰서가 대부분 책임과 권한을 가지고 있다.

149 정답 ②

프로젝트에서 통합은 팀원들의 통합이 아니고, 프로젝트 관리에 있어서의 활동과 관련된 서로 경쟁 관계에 있는 것들의 균형 유지 및 통합을 의미한다.

150 정답 ②

승인된 변경 요청은 다음과 같이 3가지 프로세스의 입력물이 된다. 프로젝트 작업지시 및 관리, 품질 통제, 조달 통제 이 3가지 프로세스는 승인된 변경 요청을 받게되는데 목적은 좀 다르다.
프로젝트 작업의 지시 및 관리 프로세스는 승인된 변경을 실행하는 데 목적이 있고, 품질 통제, 조달 통제 프로세스는 승인된 변경 요청이 잘 반영되어 들어오는지를 재확인하는 데 목적이 있다.

문제 풀이를 위한 양식 [2회 1~100]

1		26		51		76	
2		27		52		77	
3		28		53		78	
4		29		54		79	
5		30		55		80	
6		31		56		81	
7		32		57		82	
8		33		58		83	
9		34		59		84	
10		35		60		85	
11		36		61		86	
12		37		62		87	
13		38		63		88	
14		39		64		89	
15		40		65		90	
16		41		66		91	
17		42		67		92	
18		43		68		93	
19		44		69		94	
20		45		70		95	
21		46		71		96	
22		47		72		97	
23		48		73		98	
24		49		74		99	
25		50		75		100	

문제 풀이를 위한 양식 [2회 101~150]

				MEMO
101		126		
102		127		
103		128		
104		129		
105		130		
106		131		
107		132		
108		133		
109		134		
110		135		
111		136		
112		137		
113		138		
114		139		
115		140		
116		141		
117		142		
118		143		
119		144		
120		145		
121		146		
122		147		
123		148		
124		149		
125		150		

실전 모의고사 150문제

3회

3 차수 문제는 프로세스가 전반적인 흐름을 이해하여야 풀 수 있는 문제와 계산식도 포함하여 다양성을 추구하였다. 일부 문제들은 1 차수 및 2 차수 문제 등을 중복하여 출제하였는데 반복 학습을 위한 부분과 중요성을 감안하여 구성하였다.

실전 모의고사 3회

01 당신은 프로젝트 관리를 해 본 적이 없는 프로젝트 관리자이다. 어느 날 당신은 새로운 프로젝트를 계획하도록 요청하고 있다. 프로젝트의 성공 기회를 향상하기 위해 기획하는 동안에 다음 중 어느 것에 의존하는 것이 가장 바람직한가?

① 직관과 훈련
② 이해관계자 분석
③ 교훈 정보
④ 형상 관리

02 다음 중 프로젝트 관리계획의 구성요소를 잘 설명한 것은 어느 것인가?

① WBS(Work breakdown structure)
② 모든 하부 계획의 및 범위 기준선, 일정 기준선, 원가 기준선
③ 프로젝트 일정
④ 프로젝트 범위 기술서

03 프로젝트 헌장의 개발에 대한 설명 중 가장 올바른 것은 무엇인가?

① 스폰서가 프로젝트 헌장을 만들고 프로젝트 관리자가 승인한다.
② 프로젝트팀은 프로젝트 헌장을 만들고 PMO가 승인한다.
③ 경영층이 프로젝트 헌장을 작성하고 기능 관리자가 승인한다.
④ 스폰서와 프로젝트 관리자가 같이 협의하여 프로젝트 헌장을 작성하고 스폰서가 승인한다.

04 프로젝트 관리계획은 프로젝트를 관리하는 데 사용되기 위하여 현실적이어야 한다. 현실적인 프로젝트 관리 계획을 만들기 위해서는 어느 것이 가장 좋은 방법이겠는가?

① 스폰서가 프로젝트 관리자가 만든 것을 기반으로 프로젝트 관리계획을 만든다.

② 기능 관리자가 프로젝트 관리자가 만든 것을 기반으로 프로젝트 관리계획을 만든다.

③ 프로젝트 관리자가 상위 관리자가 만든 것을 기반으로 프로젝트관리 계획을 만든다.

④ 프로젝트 관리자가 팀원들이 만든 것을 기반으로 프로젝트 관리계획을 만든다.

05 프로젝트 실행 프로세스 그룹에 속하는 프로세스들에서 수행되는 활동에 속하지 않는 것은 다음 중 어느 것인가?

① 조달계약을 목적으로 조달 작업 기술서를 판매자에게 발송한다.

② 승인된 변경 요청사항을 실행한다.

③ 팀원을 교육하고 팀 사기를 진작시킨다.

④ 프로젝트 변경 요청사항의 승인 및 거부 활동을 한다.

06 한 관리자가 관련 기술지식이 부족한 프로젝트 관리를 맡게 되었다. 그는 일정 개발, 원가 산정, 활동 정의, 활동자원 산정에 대한 부분을 팀원들에게 전부 위임하였다. 그리고 기본적으로 프로젝트 관리에 있어 활동을 조정자(Coordinator) 정도로 수행하고 있다. 이러한 프로젝트 관리자의 접근 방식 결과로 나타나게 되는 현상은 다음 중 어느 것인가?

① 위임에 따른 팀의 성과가 높아지고 창의적인 작업을 한다.

② 팀원은 초기에는 혼선을 겪지만, 일정 시간이 지나면 효과적인 팀 운영이 된다.

③ 팀은 높은 성과를 만들어내지는 못하지만, 프로젝트 관리자 덕분에 업무환경이 좋아진다.

④ 낮은 성과로 인해 팀은 사기가 저하되고 갈등이 발생하며 이직이 발생한다.

07 프로젝트의 착수 시 약속했던 자원의 가용이 이루어지지 않은채 프로젝트는 기존 제품을 수정하는 단계에 있다. 이런 경우 당신은 프로젝트 관리자로서 상위 관리자에게 다음 중 어떤 조치를 우선적으로 하여야 하는가?

① 자원이 착수 시 어떻게 약속되었는지를 보여준다.

② 자원 없는 것을 기반으로 다시 계획을 수정한다.

③ 약속된 자원 가용이 없으면 발생하는 충격을 설명한다.

④ 프로젝트 일정을 Crashing한다.

08 프로젝트 관리자가 프로젝트 일정에는 영향을 미치지 않고 쉽게 완료할 수 있는 변경 요청을 하겠다는 내용을 고객으로부터 받았다. 프로젝트 관리자가 제일 먼저 취하여야 하는 행동은 무엇인가?

① 가능한 한 빨리 변경을 수행한다.

② 변경통제위원회에 넘긴다.

③ 다른 프로젝트 제약사항들의 영향성을 분석한다.

④ 스폰서에 허가를 위한 접촉한다.

09 당신은 프로젝트 중간에 프로젝트 관리자로 임명이 되었다. 프로젝트는 기준선 안에서 잘 관리되고 있다. 그러나 고객은 프로젝트 성과에 대해 좋아하지 않고 있다. 이런 경우 당신이 첫 번째로 해야 하는 것은 무엇인가?

① 프로젝트와 그 문제를 협의한다.

② 기준선을 새로 계산한다.

③ 계약을 재협상한다.

④ 고객과 회의를 한다.

10 고객은 Critical path에 약 2주 지연의 영향을 주는 제품 규격을 변경하기를 요구하고 있다. 이런 경우에 당신은 프로젝트 관리자로서 어떤 합당한 조치를 취하여야 하는가?

① 2주의 일정을 단축하도록 일정 단축 기법을 활용한다.

② 2주를 보상할 범위를 축소한다.

③ 스폰서와 대안을 상의한다.

④ 변경의 영향을 고객에게 이야기한다.

11 프로젝트 실행 중에 프로젝트 관리자는 프로젝트를 위해 조달할 필요성을 결정하였다. 프로젝트 관리자는 어떻게 변경을 만들 것인지 계획을 세우기 위해 팀원들과 회의를 요청하였다. 이런 상황은 어떤 예를 나타낸 것인가?

① 변경관리계획의 부족

② 목표관리

③ 활동목록의 부족

④ 좋은 팀원 관계

12 당신은 작년에 시작 후 6개월 동안 보류된 프로젝트의 예산을 완료하도록 요청받았다. 다음 중에서 프로젝트 예산에 포함되지 않는 것은 무엇인가?

① 변동비용

② 매몰비용

③ 직접비용

④ 고정비용

13 당신은 프로젝트 관리자이다. 여러 프로젝트 중에서 타당성 검토하여 하나를 선택하려고 한다. 프로젝트 A는 21%의 수익률(IRR)이고 프로젝트 B는 7%의 IRR이다. 프로젝트 C는 31%의 IRR이다. 프로젝트 D는 19%의 IRR이다. 이들 중 어떤 프로젝트를 선정하는 것이 가장 좋은가?

① 프로젝트 A

② 프로젝트 B

③ 프로젝트 C

④ 프로젝트 D

14 프로젝트 또는 단계 종료 프로세스가 종료되면 무엇이 만들어지는가?

① 프로젝트 자산을 조직 프로세스 자산에 저장

② 인수된 인수물

③ 작업성과 정보

④ 검증된 인수물

15 프로젝트 또는 단계 종료 프로세스 동안에 발생하는 일이 아닌 것은 다음 중 어느 것인가?

① 교훈 사항을 만든다.

② 팀 해체 준비를 한다.

③ 리스크 대응계획을 수행한다.

④ 최종 인도물을 고객에게 인계한다.

16 당신은 프로젝트 관리자로서 프로젝트의 최종 결과를 요약하고 있다. 최종 보고서 안에 사용되는 가장 적합한 도구 및 기법은 무엇인가?

① 획득가치기법(Earned value management)

② 관리도(Control chart)

③ RAM(Role assignment matrix)

④ 원인결과도(Cause and effect diagram)

17 WBS(Work breakdown structure) numbering system은 프로젝트 팀에게 WBS를 만들고 분석하고 확인할 때 어떤 부분을 제공하게 되는가?

① 체계적으로 Work breakdown structure 요소들의 비용을 산정한다.

② 프로젝트 정당성을 제공한다.

③ 각각의 요소가 발견되는 수준을 식별한다.

④ 프로젝트 관리 소프트를 사용한다.

18 범위 관리에서 만들어진 WBS(Work breakdown structure)는 프로젝트 작업의 식별과 정의를 이해하고 역할과 책임 등을 확인하는 것 등을 포함한다. 이것은 누구의 효율적인 의사소통을 위해 사용이 되는가?

① 프로젝트 관리자

② 팀원

③ 고객

④ 이해관계자

19 당신은 프로젝트 관리자로서 고객과의 인도물에 대한 범위 확인을 범위 기준선, 요구사항 문서와 요구사항 추적 매트릭스를 기본으로 하여 그룹 의사결정 기법을 통해 만장일치로 인도물에 대해 범위 확인을 성공적으로 완료하였다. 그렇다면 범위 확인 프로세스의 핵심 산출물은 다음 중 어느 것인가?

① 최종 산출물(Final products)

② 인수된 인도물(Accepted deliverables)

③ 검증된 인도물(Verified deliverables)

④ 작업성과 데이터(Work performance data)

20 프로젝트 실행 중에 한 팀원이 프로젝트 관리자에게 갔다. 왜냐하면 그 팀원은 프로젝트에서 무슨 일을 해야 하는지를 정확히 이해하지 못하고 있다. 어떤 문서가 Work package의 자세한 설명을 포함하고 있는가?

① 프로젝트 범위 기술서

② 활동 속성

③ 마일스톤

④ WBS(Work breakdown structure) dictionary

21 프로젝트에 5,000,000달러를 투자하여 6,500,000달러를 벌어들인다면 편익 원가 비율, 즉 BCR (Benefit cost ratio)은 얼마인가?

① 0.77

② 1.07

③ 1.09

④ 1.3

22 프로젝트에서 변경 요청에 통합 변경 통제 수행 프로세스로 들어오면 변경의 승인 및 거부는 누가 하게 되는가?

① CCB(Change control Board or Change control meeting)

② 전문가 판단

③ PMO(Project management office)

④ 프로젝트 관리팀

23 프로젝트 헌장의 작성 전에 프로젝트에 의해 인도될 제품의 편익 등을 검토한 계획으로 프로젝트 헌장(차터)을 만들기 위해 투입되는 것은 다음 중 어느 것인가?

① Business case

② Benefit review plan

③ Benefit management plan

④ Benefit realization management plan

24 프로젝트의 실행 중에 고객이 변경을 요청하여 왔다. 이런 경우 변경 요청사항을 어떻게 일차적으로 대응하는 게 가장 바람직한가?

① 정식 변경 절차에 의해 변경 요청서를 발송하라고 고객에게 통보한다.

② 원가와 일정에 대한 영향력을 분석하고 팀원을 소집하여 미팅한다.

③ 범위 확인이 완료되었으므로 변경사항을 받을 수 없다고 거절한다.

④ 스폰서에게 보고하고 상의한다.

25 당신은 프로젝트 관리자, 프로젝트의 원가, 일정 및 품질에 대한 성과를 종합적으로 분석하려 한다. 이때 참고할 것 중 가장 중요한 것은 어느 것인가?

① 원가 기준선
② 일정 기준선
③ 프로젝트 헌장
④ 프로젝트 관리 계획서

26 프로젝트 종료 시 프로젝트 관리자가 준비해야 하는 것에 포함되지 않는 것은?

① 프로젝트 관리계획서
② 인수된 인도물
③ 조직 프로세스 자산
④ 검증된 인수물

27 프로젝트가 초기에 승인받은 계획 일정, 즉 Schedule baseline과 비교 시 현재 프로젝트 상태는 약 15% 정도 지연이 되고 있다. 예산에 여유가 없다. 이런 경우 일정을 맞추기 위해 당신은 프로젝트 관리자로서 가장 먼저 무엇을 하여야 하는가?

① Crashing
② Fast tracking
③ Early start date에 시작
④ 범위 축소

28 리스크 관리의 대응기법 중에서 부정적 대응 전략과 긍정적 대응 전략에 모두 사용할 수 있는 것은 어느 것인가?

① 수용 ② 회피 ③ 활용 ④ 증대

29 당신은 세계 각지에 흩어져 있는 팀원들과 글로벌 프로젝트를 진행 중이다. 직원들 간의 화합 및 의사소통이 필요한 상황에서 일하는 이런 종류의 프로젝트는 어떤 종류의 프로젝트를 수행하고 있는 것인가?

① 네트워킹 ② 가상팀
③ 사전배정 ④ 팀 빌딩

30 프로젝트 관리자 및 관련 이해관계자는 SW 프로젝트의 요구사항 수집을 하고 있다. 각 이해관계자가 각자의 생각을 제시하고 유사한 의견을 모아서 최종적으로 의견을 수집하는 기법을 무엇이라 하는가?

① 친화도 ② Mind map
③ 델파이 기법 ④ Focus Group

31 프로세스 그룹의 전반적인 설명에서 내용이 맞지 않는 것은 다음 중 어느 것인가?

① 착수 프로세스 그룹에서는 프로젝트 차터(헌장)와 이해관계자 관리대장을 만든다.
② 착수 프로세스 그룹에서도 변경 요청이 발생한다.
③ 기획 프로세스 그룹에서는 Make or buy decisions를 만든다.
④ 조달에서 Seller proposals는 기획 프로세스로 들어간다.

32 조직 프로세스 자산과 기업환경 요인에 대한 설명이다. 관련 내용의 설명이 잘못된 것은 다음 중 어느 것인가?

① Lessons learned는 중요한 조직 프로세스 자산이다.
② 모든 프로세스 그룹에 전부 입력물로 들어간다.
③ 기업과 조직과 관련이 있는 부분으로 프로젝트에 영향을 주는 요소이다.
④ 고객의 조직 프로세스 자산으로 프로젝트에서 이용하여야 한다.

33 프로젝트 경계(Project boundaries)의 설명으로 다음 중 가장 적절하게 표현된 것은 어느 것인가?

① 착수의 시작 시점은 항상 분명하다.
② 일반적으로 프로젝트의 경계는 프로젝트의 착수부터 종료 단계까지이다.
③ 프로젝트 산출물들을 고객이 사용한다고 있는 부분까지 포함된다.
④ 프로젝트 스폰서가 프로젝트를 생각하고 있는 시점도 프로젝트 경계에 포함된다.

34 현재 프로젝트팀원이 4명 있었다. 한 명이 해외로 파견을 가는 바람에 팀원이 3명으로 줄었다. 프로젝트 관리자는 스폰서에 요청해서 2명의 신입직원을 프로젝트에 합류시켰다. 그렇다면 프로젝트 관리자를 포함한 총 프로젝트 내 채널 수는 얼마인가?

① 12
② 15
③ 18
④ 21

35 리스크 관리대장에 있는 리스크가 발생하여 Contingency plan을 가동하였다. 대응 전략을 가동하자 이로 인해 새로운 리스크가 발생하였다. 이것을 무엇이라고 부르나?

① 2차 리스크(Secondary risks)

② 잔여 리스크(Residual risks)

③ 트리거(Trigger)

④ Fallback plan

36 당신은 입찰에 성공하여 업체로 선정된 후에 고객과 회의를 하고 있다. 원가보상 계약으로 계약을 체결하였지만, 고객은 예산 준비를 위해 프로젝트의 전체 비용을 빨리 알고 싶어 한다. 이런 경우 당신은 지난 내용이 비슷한 과거 프로젝트에서 추정하려고 한다. 이런 경우 어떤 산정 도구를 사용하여 원가를 추정하여야 하는가?

① 유사 산정

② 모수 산정

③ 삼점 추정

④ Bottom up 산정

37 프로젝트 관리팀이 회의 참석을 위해 해외로 출장을 간다. 프로젝트 관리자는 팀원 모두를 여행자 보험에 가입시켰다. 이런 행위는 리스크의 어떤 대응 기법을 사용한 것인가?

① 회피

② 활용

③ 전가

④ 수용

38 당신은 프로젝트 관리자이다. 갑자기 조달 업체의 한 곳이 부도가 발생하였다. 그 해당 업체는 2주일 안으로 산출물을 프로젝트에 제공하기로 되어 있었다. 이때 먼저 업체 산출물을 확인하기 위해 참조해야 할 문서는 무엇인가?

① 프로젝트 범위 기술서　② 조달 작업 기술서
③ 요구사항 문서　④ 업체 선정기준

39 프로젝트 관련 의사소통해야 하는 이해관계자는 프로젝트팀을 제외한 12명이고, 실행단계에서 5명이 줄어들었고 새로운 1명의 이해관계자가 투입되었다. 이때 프로젝트팀을 제외한 순수 이해관계자들 간의 최종 의사소통 수는 얼마인가?

① 24　② 28　③ 32　④ 36

40 다음 중에서 일정 및 원가를 산정하는 기준이 되는 대상은 무엇인가?

① Work package
② WBS(Work breakdown structure) dictionary
③ Activity List
④ Control account

41 프로젝트 관리자는 팀원들의 출퇴근 기록하고 관리하고 있다. 이는 프로젝트 관리자가 어떤 이론에 입각하여 관리를 하고 있다고 보는가?

① X-이론　② Y-이론　③ Z-이론　④ 기대 이론

42 당신은 프로젝트 관리자이다. 업체와의 회의에서 프로젝트를 빨리 종료하면 성과급을 준다고 이야기하면서 예상 일정보다 더 단축하라고 하였다. 이는 리스크의 어떤 대응 전략인가?

① 활용 ② 증대 ③ 공유 ④ 수용

43 당신은 프로젝트 관리자이다. 새로 편성된 프로젝트팀을 관리하고 있다. 그런데 프로젝트팀원들이 자신이 어떤 일을 해야 하는지 잘 알지 못하고 있다. 이 단계는 프로젝트팀 발전의 어느 단계인가?

① Forming ② Storming
③ Norming ④ Performing

44 프로젝트팀에서 장비를 구매하려고 한다. 팀원들이 많은 제안을 한다. 하지만 프로젝트 관리자는 직접 자신이 결정을 내리려 한다. 이런 경우 프로젝트 관리자는 어떤 리더십을 가지고 있는 것인가?

① 지시적 ② 민주적
③ 자유방임적 ④ 준거적

45 품질관리 계획수립 프로세스에서 품질 비용을 계획하고 있다. 품질 비용에서 제품의 SW 품질을 전부 확인하기 위해서 새로운 시험기를 도입하였다. 이는 품질의 어떤 비용에 해당하는 것인가?

① 예방 비용 ② 평가 비용
③ 내부 실패 비용 ④ 외부 실패 비용

46 프로젝트 환경에서 당신은 프로젝트 관리자로서 Intranet을 사용하여 프로젝트 내용을 팀원들에게 공지하였다. 팀원들의 입장에서 이런 의사소통방식은 다음 중 어느 것에 해당하는가?

① Pull communication

② Push communication

③ Interactive communication

④ 위 보기 모두 해당

47 프로젝트 요구사항 수집 기법에서 Facilitator가 전문가로부터 익명으로 여러 차례 의견을 받고 그것을 잘 모아 조정해서 정리하는 기법은 다음 중 어느 것인가?

① Focus group technique

② Delphi technique

③ Nominal group technique

④ 설문지 기법

48 원가 기준선과 예산에 대한 설명 중 잘못된 것은 어느 것인가?

① 원가 기준선은 Contingency reserves를 포함한다.

② 전체 예산은 원가 기준선에 Management reserves를 포함한다.

③ 원가 기준선은 예산 결정 프로세스에서 결정된다.

④ 원가 산정 프로세스에서 Management reserves를 분석한다.

49 Critical path 상의 Float는 얼마인가?

① 0 ② 1 ③ 3 ④ 값이 없다.

50 Project의 목표 달성에 긍정적 또는 부정적 영향을 미치는 불확실한 사건이나 이벤트를 무엇이라고 부르나?

① Trigger ② Risk
③ Issue ④ Problem

51 당신은 프로젝트 관리자이다. 쉬는 시간에도 휴게실에서 간단히 팀원과 대화를 하고 있다. 이는 어떤 의사소통기법인가?

① Formal written ② Formal verbal
③ Informal written ④ Informal verbal

52 품질관리에서 두 가지 요인들의 상관관계를 나타낸 것은 어느 것인가?

① Scatter diagram ② Pareto diagram
③ Histogram ④ Ishikawa diagram

53 프로젝트 관리자는 한 팀원과 의견을 교환 중에 팀원의 의견에 대해 추후 Workshop에 가서 이야기하자고 한다. 이런 갈등조정 기법은 어느 것인가?

① Avoid
② Mitigation
③ Transfer
④ Accept

54 당신은 프로젝트 관리자로서 조달관리를 하고 있다. 공급자의 계약서에 고장 발생 시 공급자가 2개월 이내에 납기 하여야 한다는 보험 가입을 조항에 삽입하였다면 당신은 리스크의 어떤 대응 전략을 사용한 것인가?

① Avoid
② Mitigation
③ Transfer
④ Accept

55 당신의 프로젝트 팀원 중 한 명이 프로젝트 종료가 얼마 안 남은 상황에서 곧 계약 만료가 된다. 이때 프로젝트 관리자가 우선적으로 하여야 하는 일은?

① 변경 요청을 한다.
② 리스크 관리대장에 등록한다.
③ 이해관계자 관리대장을 갱신한다.
④ 활동자원 산정을 다시 한다.

56 당신은 프로젝트 관리자이다. 갑자기 스폰서가 프로젝트를 중단하라고 통보하였다. 그럼 그동안 투입되었던 비용은 어떻게 설명이 되는가?

① 직접비용 ② 기회비용
③ 매몰비용 ④ 간접비용

57 당신은 현재 리스크를 식별하려고 한다. 어떤 도구 및 기법을 사용하여야 할까?

① P-I matrix
② SWOT analysis
③ Monte-carlo simulation
④ Decision making tree

58 프로젝트의 일정 및 원가 모두 여유가 없다. 그런데 고객이 일정을 단축하라고 한다. 이런 경우 일정 단축을 어떤 방법으로 하는 것이 좋은가?

① 팀원을 Overtime 시켜 일을 많이 시킨다.
② 추가 자원을 투입한다.
③ Fast tracking을 한다.
④ Crashing을 한다.

59 미래 가치 사용에 투자할 수 있는 최상의 프로젝트를 결정하고 있다. 다음 네 가지 프로젝트 중 어느 것을 선택하겠는가?

① 미래 가치 $1,100,000의 프로젝트 A
② 미래 가치 $1,100,500의 프로젝트 B
③ 미래 가치 $1,500,500의 프로젝트 C
④ 미래 가치 $200,000의 프로젝트 D

60 리스크 관리에서 리스크 식별 후 정성적 리스크 분석 수행을 마무리하고 Low risks는 어떤 문서로 보관하는가?

① Watch list
② Probability and impact matrix
③ Risk categorization
④ Risk urgency assessment sheet

61 의사소통관리에서 사용되는 의사소통기법 중에서 다음 중 Pull communication에 해당하는 것은?

① Meeting
② e-learning
③ e-mail
④ Conference

62 판매자(공급자)의 인도물에 원재료 가격 상승이 있어 비용 상승이 되나 가격 인상을 안 해도 되는 계약 방식은 어느 것인가?

① Cost plus fixed fee

② Cost plus incentive fee

③ Firm fixed price

④ Time and material

63 이전에 수행되었던 프로젝트 조달 문서를 후임 프로젝트 관리자가 언제든 검색 및 열람이 가능하게 되는 것은 어떤 부분 때문인가?

① 조직 프로세스 자산의 기록관리시스템

② Watch list의 관리

③ Risk register 관리

④ Change log의 보관

64 제품의 요구 사항과 사양이 허용 범위 내에 있음을 보장하기 위해 테스트 라운드를 추가하는 것을 방금 승인했다. 이것은 다음 중 무엇의 예인가?

① 시정 조치
② 예방 조치
③ 재작업
④ 결함 수정

65 원가기준선 안에 포함되지 않는 것은 다음 중 어느 것인가?

① 활동 원가 산정치
② 우발사태 예비
③ 관리 예비
④ 활동 우발사태 예비

66 프로젝트 일정이 촉박한 상태에서 빠른 판단을 필요로 하는 상황에 두 명의 팀원이 서로 의견 대립 중이다. 프로젝트 관리자는 어떤 갈등 해결 방안을 활용해야 하는가?

① 강요/지시
② 타협/화해
③ 철회/회피
④ 문제 해결/협조

67 프로젝트 관리에서 PMO(Project management office)의 역할을 가장 잘 나타낸 것은?

① 프로젝트 관리 방법론 및 프레임을 제공한다.
② 프로젝트팀이 효율적으로 일할 수 있도록 도와준다
③ 프로젝트 팀원 간 갈등을 조정한다.
④ 프로젝트의 의사소통을 원활하게 해준다.

68 당신은 프로젝트 관리자이다. 프로젝트 진행 일정을 단위 Work package별로 확인하고 있는데 한 부분이 많이 늦어지고 있다. 내용을 확인해보니 해당 팀원의 능력이 부족해서 지연이 발생한 것을 알 수 있었다. 이에 대한 해당 팀원의 조치를 프로젝트 관리자로서 어떻게 할 것인가?

① 해당 팀원의 기능 부서장에게 알린다.
② 해당 팀원을 교육하고 Coaching 한다.
③ 해당 팀원을 교체한다.
④ 해당 팀원의 일을 중단시키고 다른 사람이 맡도록 한다.

69 고객의 변경 요구사항을 스폰서가 구두 승인하였으나 프로젝트에서 즉시 변경 내용을 실행하라고 스폰서가 프로젝트 관리자에게 이야기한다. 이런 상황에서 당신은 프로젝트 관리자는 이 변경 요청사항을 어떻게 처리해야 하나?

① 스폰서를 믿고 그대로 변경을 시행한다.
② 정식변경 절차가 필요하다고 스폰서를 설득하고 고객에게는 그 절차를 따르도록 한다.
③ 일단 변경내용을 시행하고 나중에 정식 변경절차를 위해 변경 요청을 고객에게 요청한다.
④ 변경의 영향을 분석하고 그 결과를 스폰서와 고객에 모두 알리고 변경을 거부한다.

70 당신은 팀원들과 제품의 품질을 검사하고 있다. 시험의 결과에서 발생한 품질 문제를 식별하고 기록하고 있다. 이때 가장 효과적으로 사용되는 품질 통제 도구는 다음 중 어느 것인가?

① Pareto diagram
② Check sheet
③ Run chart
④ Flow chart

71 프로젝트 관리에서 요구사항 문서가 생성되었다. 프로젝트 관리자로서 다음에 해야 할 일 중 가장 타당한 것은 다음 중 무엇인가?

① 프로젝트 범위 기술서를 작성한다.

② WBS(Work breakdown structure)를 만든다.

③ 활동을 식별한다.

④ 활동자원을 산정한다.

72 통합관리를 할 때 프로젝트 관리자와 팀원은 주로 여러 가지 프로세스를 진행할 때 지난 프로젝트 관리자나 PMO, 사내 구매 전문가, 법률 전문가 등에 자문을 얻는다. 이런 경우에 사용되는 도구 및 기법을 무엇이라고 하는가?

① 전문가 판단

② 분석 기법

③ 프로젝트 정보시스템

④ 회의

73 당신은 조달관리 프로세스를 진행하고 있다. 여러 회사로부터 조달을 받으려고 한다. 업체들을 한 곳으로 모아서 설명회를 하려고 한다. 조달 수행에서 사용되는 이 기법을 무엇이라고 부르나?

① Bidder conference

② Suppler selection criteria

③ Proposal evaluation technique

④ Independent estimates

74 당신은 프로젝트 관리자이다. 문제가 발생한 것에 대하여 자원과 시간 등으로 구분하여 일정 기간별로 차례로 표시하였으며, 이때 사용하는 품질관리의 도구와 기법은 무엇인가?

① Histogram
② Pareto diagram
③ Run chart
④ Scatter diagram

75 당신은 프로젝트 관리자로서 프로젝트 Kick off meeting을 준비하고 있다. Kick off meeting의 준비사항에 일반적으로 포함되지 않는 것은 다음 중 어느 것인가?

① 요구사항 문서
② 프로젝트 헌장
③ 프로젝트 범위 기술서
④ 원가 기준선

76 품질관리에서 품질관리 팀원들은 제품의 결과를 책임지는 품질 통제 활동과 관련된 제품의 검사 능력과 연관되어 사전에 어떤 지식 등을 교육받고 준비하여야 하는가?

① 통계적 sampling 이해
② Risk analysis 이해
③ EVM(Earned value management)의 이해
④ CPM(Critical path method)의 이해

77 다음 중 감시 및 통제 프로세스에서 하는 활동이 아닌 것은 어느 것인가?

① 차이 분석을 통한 기준과 실적을 비교한다.

② 획득 가치 기법을 통해 미래 원가를 예측한다

③ 통합 변경 통제 수행 활동을 통한 변경 요청에 대한 승인된 승인을 실행한다.

④ 인도물 품질의 검사를 통한 품질 통제 측정치를 만든다.

78 프로젝트 변경 요청 절차와 관련된 설명이다. 다음 중 설명이 잘못된 것은 어느 것인가?

① 변경 요청은 프로젝트에 관련된 모든 이해관계자가 요청할 수 있다.

② 변경 요청은 정식 절차를 밟아 진행되며 형상 관리의 틀에 따라 변경 절차가 이루어져야 한다.

③ 승인 또는 거부된 변경 요청 내용은 Change log에 기록하여 이해관계자들에게 의사소통 관리 프로세스 절차를 통해 배포된다.

④ 승인된 변경 요청은 품질 통제 프로세스와 조달 수행 프로세스에서 재확인하여 시정조치가 제대로 되었는지를 모니터링한다.

79 조달관리의 조달 수행 활동이 아닌 것은 다음 중 어느 것인가?

① 입찰자 회의를 하여 입찰 내용을 잠재 판매자들에게 설명한다.

② 제안서를 각 판매자에게 발송하여 입찰토록 한다.

③ 판매자에게 온 각 제안서를 평가하여 업체를 선정하고 계약을 체결한다.

④ 계약의 성과 보고를 분석하여 이해관계자들에게 보고한다.

80 범위 관리에서 정식적인 변경 절차를 거치지 않고 조용히 변경을 반영하는 것을 무엇이라 하는가?

① Gold plating

② Scope creep

③ Change request

④ Rolling wave planning

81 변경 요청과 관련된 설명에서 내용이 맞지 않은 것은 다음 중 어느 것인가?

① 변경 요청은 시정조치, 예방조치, 결함 수정을 하기 위해 발생한다.

② 변경 요청에서 예방조치는 리스크 관리와 밀접한 관계가 있다.

③ 변경 요청에서 결함 수정은 품질 통제와 밀접한 관계가 있다.

④ 변경 요청에서 시정조치는 예방조치 및 결함 수정보다 더 중요하다.

82 원가 기준선에서 다음 중 내용 설명이 잘못된 것은 어느 것인가?

① 활동 원가 산정과 Activity contingency reserve를 합한 것이 작업 패키지 원가이다.

② 작업 패키지 원가에 Contingency reserve를 합한 것이 통제 계정 원가이다.

③ 통제 계정을 전부 합친 것이 원가 기준선이 된다.

④ 원가 기준선에 Contingency reserve를 합한 것이 프로젝트 전체 예산이 된다.

83 예산 결정 프로세스의 산출물이 아닌 것은 다음 중 어느 것인가?

① 자금 한도 조정(Funding limit reconciliation)
② 프로젝트 자금 요구사항(Project funding requirements)
③ 프로젝트 문서 수정(Project documents update)
④ 원가 기준선

84 품질관리 샘플링 기법 중에서 전수검사에 대해 설명한 것이다. 다음 내용 중 잘못 표현된 것은 어느 것인가?

① 전수검사는 검사 항목이 적고, 간단히 검사 되는 것에 사용된다.
② 제품의 치명적 결함이 있을 때 전수검사를 사용하여야 한다.
③ 검사 원가가 많이 들어가는 것이 전수 검사이다.
④ 단위 생산량의 크기가 클 때 전수검사가 사용된다.

85 통합관리에서 통합변경 통제 수행 프로세스의 산출물은 다음 중 어느 것인가?

① 변경 통제 도구
② 프로젝트 관리계획서 갱신
③ 검증 승인된 변경 요청
④ 변경 요청

86 당신은 프로젝트 관리자이다. 한참 프로젝트를 수행 중인데 조직에 없는 기술을 필요로 하는 분야가 있어 이에 대한 기술을 가지고 있는 외부 업체를 사용하기로 하였다. 이는 리스크 대응 대책 중 어느 부분에 해당하는 것인가?

① Avoid
② Transfer
③ Mitigation
④ Exploit

87 프로젝트 종료 시에 Lessons learned를 최종 정리하여 조직 프로세스 자산에 잘 보관을 하여야 한다. 이 문서를 만드는 과정 및 관련 설명에 가장 적절한 것은?

① 이 문서는 프로젝트 관리자가 혼자 만들고 작성한다.
② Lessons learned를 가장 효과적으로 사용하는 프로세스 그룹은 종료 프로세스 그룹이다.
③ 이 문서는 프로젝트 관리자와 팀원이 프로젝트를 진행하면서 주기적으로 작성하다가 프로젝트 종료 시에 완료하는 것이 가장 좋다.
④ 이 문서는 프로젝트 초기에 빨리 완성되는 것이 좋으며 이해관계자가 범위 확인 시 확인하는 필수 문서이다.

88 다음 중 프로젝트 생애주기에 대한 설명이다. 다음 설명 중 틀린 내용이 포함된 것은 어느 것인가?

① 프로젝트 생애주기에서 단계적으로 일정을 나누어도 그 단계 내에서는 착수-기획-실행-감시 및 통제-종료 프로세스가 존재한다.
② 프로젝트의 불확실성은 초기에 크고 비용과 인력은 초기에 낮게 투입된다.
③ 이해관계자가 프로젝트에 미치는 영향력 및 리스크, 불확실성은 초기에 높으나 시간이 지날수록 점차 낮아진다.
④ 프로젝트 착수단계에 변경이 발생하면 변경 비용이 크게 발생하나 실행단계에서 변경이 발생하면 바로 시정조치가 가능하므로 상대적으로 변경 비용이 작다.

89 당신은 프로젝트 관리자이다. 조달관리 계획 수행을 통해 Make or buy decisions가 완료되었다. 한 제품을 조달하려고 사내 Supplier pool에 있는 3개 업체를 접촉하여 확인한바 각 업체의 품질이 거의 유사한 것이 1차 검사를 통해 확인되었다. 이런 경우에 당신은 프로젝트 관리자로서 어떤 조치를 다음에 취해야 하는가?

① RFQ(Request for quotation)를 각 업체에 발송한다.
② 임의로 단독 업체를 선정하여 협상한다.
③ 가격경쟁을 조장해서 낮은 가격을 제안하도록 유도한다.
④ 계약서를 준비하고 계약서 체결을 완료한다.

90 리스크 대응전략에서 합작 등을 통해 시장에 진출하는 등 서로 간 강 약점을 보완하여 기회를 살리는 대응 전략을 무엇이라고 하는가?

① 활용(Exploit)
② 공유(Share)
③ 증대(Enhance)
④ 수용(Accept)

91 미래의 상황이 불확실한 상황이라면 이용되는 모든 변수가 확실한 상황임을 가정하고 분석하는 예측은 오류를 발생시키게 되는데 이러한 오류를 감소시키기 위하여 다른 조건이 일정한 경우에 어느 한 투입 요소가 변동할 때의 예측치가 어느 정도 관련되어 변동하는가를 분석하는 것을 무엇이라 하는가? 토네이도 도표(Tornado diagram)가 대표적인 이것에 해당한다.

① Monte-carlo simulation
② Sensitivity analysis
③ Decision tree analysis
④ Expected monetary value analysis

92 품질관리에서 제품을 검사하고 있다. 표본검사보다는 전수검사를 강화하고, 표본 검사일 경우에도 샘플 수를 더욱 많이 선정하고, 생산라인에서는 반복적인 확인 시험을 해서 불량률을 줄이려고 노력하고 있다. 이는 리스크의 대응전략과 연관한다면 어떤 전략을 사용하고 있는가?

① 활용(Exploit)

② 증대(Enhance)

③ 완화(Mitigation)

④ 전가(Transfer)

93 당신은 프로젝트를 완료했다. 모든 결과물이 전달되고 유효성이 검증되었다. 문서의 종료를 위해 서명이 하나 더 필요하다. 다음 중 누구의 서명이 필요할까?

① 프로젝트팀원

② 프로젝트 관리자

③ 프로젝트 스폰서

④ 리스크 관리자

94 프로그램 관리의 주요 역할이 아닌 것은 무엇인가?

① 프로젝트 또는 프로그램의 이슈를 해결한다.

② 프로젝트에 영향을 주는 조직의 전략을 프로그램 목표에 일치시킨다.

③ 프로그램에 영향을 주는 자원 제약을 해결한다.

④ 조직가치를 극대화하기 위해 조직 전체를 통합화한다.

95 프로젝트 관리자로서 프로젝트 헌장의 개발에 관여하는 것이 중요하다. 프로젝트 헌장의 이해를 돕기 위한 측면도 있다. 이 이해는 무엇을 의미하는가?

① 각 단계의 Gate 검토 시 비즈니스 사례의 유효성을 확인하는 데 도움을 준다.
② 중요한 요구를 하는 이해 관계자를 식별하는 데 도움이 된다.
③ 프로젝트팀에서 필요한 비즈니스 분석가의 수를 결정할 수 있도록 도와준다.
④ 프로젝트의 목적, 목표 및 예상되는 장점에 대한 공통된 이해를 보장한다.

96 당신은 프로젝트 헌장을 작성 중이다. 스폰서는 투자 수익을 비용과 비교하는 비즈니스 사례의 분석 결과에 대해 질문했다. 스폰서는 무엇을 요구하고 있는 것인가?

① 편익-원가 비율
② 현재 가치
③ 미래 가치
④ 순 현재 가치

97 프로젝트 관리에 관한 설명으로 가장 적합한 것은?

① 프로젝트 관리란 프로젝트 요구사항을 충족시키는 데 필요한 지식, 기량, 도구 및 기법 등을 프로젝트 활동에 적용하는 활동이다.
② 결과물이 잘 나오도록 프로젝트팀원들을 감시하는 행위이다.
③ 프로젝트 획득을 위한 로비 활동이다.
④ 결과물이 정해진 일정에 나오도록 계획을 잘 만드는 활동을 말한다.

98 프로젝트 업무(Project work)와 운영 업무(Operational work)의 차이는?

① 프로젝트 업무는 고유한 산출물을 만드는 것과는 달리 운영 업무는 지속적이고 반복적인 산출물을 만든다.
② 출장경비 지급업무는 프로젝트 업무이다.
③ 운영 업무가 더 중요하다.
④ 운영 업무는 기계가 대신하는 업무이다.

99 개별 팀원이 기능 관리자 및 프로젝트 관리자 모두에게 보고해야 하는 경우에, 프로젝트에서 팀 개발을 하는 일이 복잡해지기도 한다. 이 같은 이중 보고 관계에 대한 효과적인 관리는 일반적으로 누구의 책임인가?

① 기능 관리자
② 프로젝트 관리자
③ 관련된 팀원
④ 프로젝트 owner 또는 후원자

100 교훈 정보를 수집하는 것은?

① 전체 팀에 의해서 가능한 한 빨리 행해져야 한다.
② 프로젝트 작업의 대부분이 완성된 후에 언제든지 행할 수 있다.
③ 프로젝트 관리자에 의해서 가능한 한 빨리 행해져야 한다.
④ 개별적인 팀원에 의해 가능한 한 빨리 행해져야 한다.

101 조직구조에서 Project coordinator는 Project expeditor와 프로젝트 관리 수행에 있어 어떤 점에서 가장 다른가?

① 의사 결정권이 없다.

② 의사 결정권이 있다.

③ 상위 관리자에게 보고한다.

④ 프로젝트 예산 집행에 대한 사용권이 있다.

102 프로젝트가 방금 완료되었으며 프로젝트 관리자와 팀이 공식적으로 프로젝트를 종료할 준비를 하고 있다. 다음 중에서 프로세스를 완료하는 데 반드시 필요한 것이 아닌 것은 무엇인가?

① 프로젝트 관리 계획

② 다음 단계의 요청 변경

③ 최종 보고서 작성을 위한 템플릿 및 지침

④ 프로젝트의 수용된 인도물

103 프로젝트 관리자는 프로젝트를 종료하고 싶지만, 고객으로부터 공식 승인을 받지 못하고 있다. 언제 승인 종료가 되어 완료할 수 있는가?

① 고객이 최종 검사를 수행할 수 없는 경우

② 단계적 구현 또는 종료된 프로젝트의 경우

③ 프로젝트가 외부 고객을 위해 완료되지 않은 경우

④ 사회 부문에서 수행되는 자선 사업의 경우

104 프로젝트 목표에서 품질은 다른 요소들과 비교하여 어떤 중요도를 갖는가?

① 품질은 모든 요소보다 우선한다.

② 일정보다 우선 하나, Cost보다 우선하지 않는다.

③ Schedule보다 우선 하나, Cost보다 우선하지 않는다.

④ Schedule, Cost와 동일한 수준이다.

105 프로젝트 프로세스 그룹에서, 일반적으로 변경 발생으로 가장 큰 충격이 발생하고 비용이 많이 발생하는 단계는 어느 단계인가?

① 착수(Initiating)

② 기획(Planning)

③ 실행(Executing)

④ 착수 이전(pre-initiating)

106 프로젝트 단계에서 불확실성 가장 높고 이해관계자의 영향이 가장 큰 단계는?

① 착수단계

② 기획단계

③ 실행단계

④ 프로젝트 종료 단계

107 프로젝트 관리 프로세스 중에서 작업성과보고서(Work performance reports)를 만드는 프로세스는 다음의 프로세스 그룹 중 어디에 속하는가?

① 기획 프로세스(Planning processes)
② 실행 프로세스(Executing processes)
③ 감시 및 통제 프로세스(Monitoring & controlling processes)
④ 종료 프로세스(Closing processes)

108 당신은 프로젝트 헌장을 만들고 당신의 권위를 문서화하고 있다. 당신은 자원 및 가용성에 관한 의사 결정에 대한 권한은 제한적이다. 다음 중 조직에 가장 맞게 설명이 된 조직 유형은 무엇인가?

① 프로젝트 조직
② 약한 매트릭스
③ 강한 매트릭스
④ 균형 매트릭스

109 당신은 신제품 개발 담당 이사, 판매관리자 및 마케팅 관리자들과 회의를 소집한다. 제품 라인으로의 업그레이드가 언제 어떻게 회사에 도움이 되는지 이해하고 싶다. 당신은 다음 중 어느 문서를 요청할 것인가?

① 프로젝트 헌장
② 비즈니스 사례
③ 지속가능성 분석
④ 편익 관리 계획

110 관련된 다수의 프로젝트가 결합한 그룹으로써 개별적으로 관리할 경우 얻을 수 없는 혜택과 통제 효과를 얻기 위한 통합 관리 방식으로 여러 Project를 하나의 통합하여 관리하여서 한 'Consistency'를 갖게 하는 것은 무엇이라 하는가?

① Portfolio management

② Program management

③ PMO(Project management office) management

④ Strategic management

111 모든 프로젝트와 프로그램을 검토하여 자원 할당의 우선순위를 결정하고 조직의 전략적 사업목표와 일관성을 유지하도록 하는 역할을 하는 것을 무엇이라고 하는가?

① Portfolio management

② Strategic management

③ PMO(Project management office) management

④ Project governance

112 PMO(Project management office)란 프로젝트 관련 지배 프로세스 표준화, 자원 분배, 방법론, 도구 및 기법을 조정하는 관리구조이다. 다음 중 PMO의 유형이 아닌 것은 무엇인가?

① Supportive(지원형)

② Controlling(통제형)

③ Directive(지시형)

④ Integrative(통합형)

113 조직구조에서 일반적으로 큰 프로젝트 수행은 불가능하고 기존 프로젝트의 소규모 변경이나 중요하지 않은 소규모 프로젝트 수행에 적합한 구조는 어떤 형태인가?

① 기능 조직
② 균형 매트리스 조직
③ 프로젝트 조직
④ 복합 조직

114 조직구조에서 직원들은 기능 부서장과 프로젝트 관리자에게 이중 보고해야 하는 문제를 가지고 있으나 회사 입장에서 보면 자원의 극대화라는 측면이 있는 조직구조는 다음 중 어느 것인가?

① 약한 매트릭스 조직
② 균형 매트리스 조직
③ 강한 프로젝트 조직
④ 프로젝트 조직

115 다음 중 기능적 조직 구조하에서 여러 프로젝트를 관리할 경우 발생하는 문제의 중요한 원인은 무엇인가?

① 하위 수준의 프로젝트 진척을 관리 프로젝트보다는 자신이 소속된 기능 부서에 집중하는 팀원들 때문에
② 제한된 자원을 두고 경쟁해야 하는 여러 프로젝트 간의 상대적인 우선순위에 대한 갈등 때문에
③ 프로젝트 관리자의 권한 수준 때문에
④ 프로젝트 관리자가 갈등을 비공식적으로 해결하기 위해 인간적 역량을 활용해야 하기 때문에

116 다음 중 어떤 조직에서 프로젝트 관리자가 프로젝트팀에 대한 권한이 가장 작을까?

① 약한 매트릭스 조직

② 강한 매트릭스 조직

③ 프로젝트화된 전담조직

④ 기능 조직

117 다음 중 프로젝트 생애주기가 갖고 있는 일반적인 공통점 중 틀린 것은?

① 비용과 인력은 초기에 낮게 투입되고, 증가하다 프로젝트 종료 시점에 급격히 감소한다.

② 이해관계자가 프로젝트에 미치는 영향력 및 리스크, 불확실성은 초기에 높으나 점차 낮아진다.

③ 결함을 고치거나 변경에 필요한 비용은 초기에 낮고, 진행될수록 많아진다.

④ 제품 생애주기보다 프로젝트 생애주기가 더 광범위하다.

118 이해관계자(Stakeholder)에 관한 설명으로 맞는 것은?

① 프로젝트팀원을 말한다.

② 프로젝트에 적극적으로 참여하는 개인 및 조직을 말한다.

③ 프로젝트 관리자를 말한다.

④ 회사에 다니는 모든 사람을 말한다.

119 PMO의 주요 역할이 아닌 것은 무엇인가?

① 하위 수준의 프로젝트 진척을 관리
② 모든 프로젝트에 걸쳐 자원 공유를 관리
③ 프로젝트 간의 의사소통 조정
④ 경영진이 전체 현황을 알 수 있도록 지속해서 상황실을 관리

120 다음 중 기업 환경 요인으로 볼 수 있는 것은 무엇인가?

① 조직의 프로세스 조정에 대한 지침 및 기준
② 회사 프로젝트 경험으로 생긴 교훈 사항들
③ 돈에 관련된 회계 데이터베이스
④ 회사 보유의 설비 또는 장비들

121 프로젝트에서 교훈 정보를 수집하는 목적으로 가장 적당한 것은?

① 프로젝트 관리자 및 팀원은 이번 프로젝트에서 발생한 교훈 사항을 바로 적용하여 프로젝트를 성공으로 이끈다.
② 교훈 사항 문서는 고객의 인수조건에서 확인하는 부분이다.
③ 각 프로젝트에서 작성된 교훈 사항은 다음의 프로젝트에 반영하여 효율적인 프로젝트 수행에 도움을 주기 때문이다.
④ 교훈 사항 정리의 결과에 따라 팀원의 보상 차이가 발생하기 때문이다.

122 조직 프로세스 자산 중 지식에 관련된 조직 프로세스 자산의 예인 것은?

① 재무 통제 절차, 변경 통제 절차
② 실제 발생했던 이슈나 결함에 관련된 DB(데이터베이스)
③ 조직의 프로세스 조정에 대한 지침 및 기준
④ 회사에서 사용하는 표준 템플릿

123 PMO(Project management office)에 관한 설명으로 맞는 것은?

① 프로젝트의 결과와 실행을 향상하기 위해 전담된 프로젝트 상위의 중심조직을 말한다.
② 프로젝트 총책임자를 말한다.
③ 프로젝트 수행자를 말한다.
④ 프로젝트 승인자를 말한다.

124 프로젝트 관리자나 프로젝트팀이 프로젝트를 성공시키기 위해 고려해야 할 사항이 아닌 것은?

① 적절한 프로세스 선택
② 일반적으로 정의된 접근 방법 선택
③ 스폰서 및 이해관계자들의 요구 사항을 맞춤
④ 원가와 기간만을 최적화함

125 프로젝트 리스크와 관련된 부정적인 결과의 가능성을 줄일 수 있는 활동을 수행하기 위한 문서화된 접근법은 다음 중 무엇인가?

① 시정조치
② 예방조치
③ 이슈 조치
④ 결함 수정

126 프로젝트를 진행하면서 더 많은 정보가 추가됨에 따라 좀 더 정확한 일정을 다시 계획하게 되면서 계획이 점진적으로 구체화되는 것을 무엇이라고 하는가?

① Subsidiary plans
② Work breakdown structure
③ Scope baseline
④ Rolling wave planning

127 프로젝트 또는 프로젝트 단계를 종료하는 과정에서 조직 프로세스 자산을 업데이트해야 한다. 다음 중 종료의 일부로 업데이트되지 않는 것은 무엇인가?

① 프로젝트 헌장
② 품질 보고서
③ 리스크 보고서
④ 제품 승인 문서

128 이해관계자참여계획수립의 입력물이 아닌 것은 다음 중 어느 것인가?

① 프로젝트 헌장

② 가정사항 기록부

③ 프로젝트 범위기술서

④ 계약

129 이해관계자참여계획수립의 도구 및 기법이 아닌 것은 다음 중 어느 것인가?

① 전문가 판단

② 기본규칙

③ 의사결정

④ 회의

130 이해관계참여관리 프로세스의 도구 및 기법이 아닌 것은 다음 중 어느 것인가?

① 광고

② 의사소통 기술

③ 회의

④ 갈등관리

131 착수 프로세스들의 인도물(결과물)에 해당하는 것은?

① 프로젝트 헌장(Project charter)
② 리스크 관리대장(Risk register)
③ 이해관계자 관리계획(Stakeholder management plan)
④ 요구사항 문서들(Requirement documentation)

132 다음 중 프로젝트의 최종 종료 보고서에 포함될 가능성이 가장 적은 것은?

① 인도물의 수용 근거
② 계획 대비 실제 비용 및 일정 데이터
③ 프로젝트의 실제 ROI와 계획 ROI
④ 품질기준에서 계획 대비 충족 여부

133 당신의 조직은 새로운 의료기기에 대한 테스트 및 검증을 제공하기 위해 신규 고객으로부터 입찰을 받았다. 제품을 출시하기 전에 제조, 조립 및 문서를 평가하게 된다. 이것은 프로젝트의 무슨 예인가?

① 조직의 필요
② 시장 수요
③ 고객 요구
④ 기술적 진보

134 프로젝트 관리자가 수행해야 하는 역할 중 하나는 가능한 한 프로젝트 환경을 단순화하는 것이다. 다음 중 프로젝트의 복잡성 증가에 가장 기여하는 특성은 무엇인가?

① 요구사항의 모호성

② 비즈니스 편익에 대한 높은 기대감

③ 프로젝트의 각 부분 간의 상호 연결 수

④ 구성 요소 간의 동적 상호 작용

135 당신은 프로젝트 관리자로서 품질관리에 필요한 가이드와 절차의 준비를 위해 품질관리계획(Plan quality management)을 준비하고 있다. 이 계획을 준비하는데 필요하지 않은 것은 다음 중 어느 것인가?

① 이해관계자 관리대장(Stakeholder register)

② 품질통제측정치(Quality Control measurements)

③ 이해관계자 참여 계획(Stakeholder engagement plan)

④ 리스크 관리대장(Risk register)

136 기획단계의 리스크 관리 프로세스가 순서대로 바르게 정리되어 있는 것은 어떤 것인가?

① 리스크 식별-리스크 관리계획 수립-정성적 리스크 분석-정량적 리스크 분석 수행-리스크 대응계획 수립

② 리스크 관리계획 수립-리스크 식별-정성적 리스크 분석-정량적 리스크 분석 수행-리스크 대응계획 수립

③ 리스크 관리계획 수립-정성적 리스크 분석-정량적 리스크 분석 수행- 리스크 식별-리스크 대응계획 수립

④ 리스크 식별-리스크 관리계획 수립-리스크 대응계획 수립-정성정 리스크 분석-정량적 리스크 분석 수행

137 프로젝트 작업 지시 및 관리 프로세스, 즉 전체 실행의 산출물인 작업성과 데이터가 들어가는 프로세스는 다음 중 무엇인가?

① 팀 관리
② 팀 개발
③ 품질 통제
④ 조달 수행

138 당신은 다수의 프로젝트가 있기 때문에 경제적 타당성 조사가 필요하다. 프로젝트 관리 활동의 기초로 사용되는 문서로써 경제적 타당성 조사와 관련이 있는 것은 다음 중 어느 것인가?

① 편익 관리계획
② 전략적 계획
③ 비즈니스 케이스
④ 경제적 타당성 조사

139 다음 중 범위 확인과 품질 통제 프로세스의 비교 설명이 잘못된 것은?

① 품질 통제가 인도물을 품질 표준에 맞추는 정확성에 초점을 맞추는 반면, 범위 확인은 인도물을 고객이 인수할 것인지에 초점을 맞추고 있다.
② 일반적으로 품질 통제 프로세스의 수행이 범위 확인에 선행한다.
③ 품질 통제를 마치면 검증된 인도물이라 부른다.
④ 범위 확인을 통과한 인도물은 범위 통제 프로세스를 거쳐 프로젝트 종료 프로세스로 보내진다.

140 변경 요청과 관련 프로세스 흐름 및 관련 내용의 설명이 잘못된 것은 무엇인가?

① 정식변경은 통합 변경 통제 수행 프로세스를 통해 승인 또는 거부가 되어야 한다.
② 변경 요청은 시정요구, 예방조치, 결함 수정 요구를 포함할 수 있다.
③ 승인된 변경은 실행을 통해 변경 실행이 되고 계획이나 문서를 갱신하게 한다.
④ 승인된 변경은 제대로 변경내용이 실행되었는지를 재확인하기 위해 범위 확인과 품질관리 프로세스를 통해 재확인된다.

141 프로젝트 관리자는 예산의 필요할 시기를 더 잘 이해할 수 있도록 프로젝트 단계별로 예산을 분산하려고 한다. 이로 인해 프로젝트의 원가 기준선을 개발하게 한다. 일반적으로 프로젝트 예산의 대부분이 지출되는 부분은 다음 중 어느 것인가?

① 프로젝트 관리 계획 개발
② 프로젝트 작업 지시 및 관리
③ 통합된 방식으로 프로젝트 변경의 관리
④ 프로젝트 케이스와 프로젝트 차터의 개발

142 다음 중 CCB(Change control board)에 대한 설명으로 가장 적합하지 않은 것은?

① 프로젝트 변경 요청사항을 검토, 평가, 승인, 거부하는 책임을 담당하도록 공식적으로 구성된 이해관계자 그룹이다.
② CCB의 역할과 책임은 형상 통제와 변경 통제 절차에 정의되어 있다.
③ CCB는 프로젝트에서 오직 하나만 존재해야 한다.
④ CCB에는 프로젝트 관리팀, 스폰서, 고객 등의 이해관계자가 참여할 수 있다.

143 다음 중 통합관리 지식 영역의 프로젝트 헌장 개발의 산출물인 프로젝트 헌장(Project charter)과 관련하여 바른 설명이 아닌 것은?

① Business case란 타당성 검토를 뜻한다.
② 프로젝트 헌장에는 개략적인 제품과 관련된 특징 등이 기술되어 있다.
③ 프로젝트 차터 승인 후 PM(프로젝트 관리자)은 자원(Resource)을 사용하는 권한(Authority)을 받게 된다.
④ 프로젝트 차터는 작성 후 갱신될 수 없다.

144 프로젝트 종료 시 왜 Lesson learned는 필요한가? 가장 적절한 것은?

① 회사의 중요한 자산이면서, 다음 프로젝트 시 중요 내용을 활용하게 된다.
② 프로젝트의 표준 및 절차가 들어 있어서 표준 Template를 사용하기 때문이다.
③ 프로젝트 정보시스템과 연결되어 저장되며, 보안상 해당 프로젝트 관리자의 이해관계자들은 절대 볼 수 없다.
④ 프로젝트를 지연 또는 취소 시 중요한 근거자료가 된다.

145 프로젝트 A를 하면 6억 원 이익을, 프로젝트 B를 하면 8억 원의 이익이 생긴다, 프로젝트 B를 선택하고, 프로젝트 A를 포기함으로 생기는 기회비용은 얼마인가?

① 2억 원
② 6억 원
③ 7억 원
④ 8억 원

146 프로젝트의 종료 시 투입물에 포함되지 않는 것은 무엇인가?

① 프로젝트 관리계획
② 인수된 인도물
③ 프로젝트 교훈(lessons learned)
④ 작업성과보고서

147 프로젝트 교훈(lessons learned)은 주로 누구에 의해 작성 및 완료되는가?

① 프로젝트 관리자 및 프로젝트팀
② 스폰서
③ 품질관리 책임자 및 품질관리 팀원
④ 고객 및 사용자

148 프로젝트에 대한 기술적인 업무가 모두 종료되었다. 이제 마지막으로 프로젝트 관리자와 팀원이 하여야 하는 일은?

① 교훈(lessons learned) 작성한 것을 최종 정리한다.
② 예비비 남은 부분을 환원 조치한다.
③ 최종 범위 확인을 위해 고객과 요구사항 문서를 같이 검토한다.
④ Risk register를 최종 갱신한다.

149 착수단계에서 프로젝트 헌장(Project charter)의 내용을 통해 프로젝트 관리자가 프로젝트 수행을 하기 위해 공식적으로 주어지는 것은 무엇인가?

① 팀원의 임의 선정을 할 수 있다.

② 프로젝트 관리자의 권한을 명시한다.

③ 리스크 관리 책임자를 선정한다.

④ 프로젝트를 위해 관리자에게 프로젝트 관리기법 교육의 기회를 부여받는다.

150 프로젝트 진행 중 프로젝트의 취소, 즉 조기 종료가 되는 이유가 아닌 것은?

① 프로젝트팀원의 부족

② 프로젝트 자금 공급의 중단

③ 비즈니스 타당성 분석 결과 회사 전략과 불일치

④ 중대한 변경으로 인한 범위 변경

3회 정답 및 해설

1	2	3	4	5	6	7	8	9	10
③	②	④	④	④	④	③	③	④	④

11	12	13	14	15	16	17	18	19	20
①	②	③	①	③	①	③	④	②	④

21	22	23	24	25	26	27	28	29	30
④	①	③	②	④	④	②	①	②	①

31	32	33	34	35	36	37	38	39	40
④	④	②	②	①	①	③	②	②	①

41	42	43	44	45	46	47	48	49	50
①	①	①	①	②	①	②	④	①	②

51	52	53	54	55	56	57	58	59	60
④	①	①	③	②	③	②	③	③	①

61	62	63	64	65	66	67	68	69	70
②	④	①	②	③	②	①	②	②	②

71	72	73	74	75	76	77	78	79	80
①	①	①	①	④	①	③	④	④	②

81	82	83	84	85	86	87	88	89	90
④	④	①	④	②	②	③	④	①	②

91	92	93	94	95	96	97	98	99	100
②	③	③	④	④	①	①	①	②	①

101	102	103	104	105	106	107	108	109	110
②	②	②	④	③	①	③	④	④	②

111	112	113	114	115	116	117	118	119	120
①	④	①	②	②	④	④	②	①	④

121	122	123	124	125	126	127	128	129	130
③	②	①	④	②	④	①	③	②	①

131	132	133	134	135	136	137	138	139	140
①	③	②	②	②	②	③	③	④	④

141	142	143	144	145	146	147	148	149	150
②	③	④	①	②	④	①	①	②	①

01 정답 ③

당신은 프로젝트의 경험이 없기 때문에 프로젝트와 관련된 경험 등 다른 프로젝트의 교훈을 검토하여야 한다.

02 정답 ②

프로젝트 관리계획은 하부 계획의 범위 기준선, 일정 기준선, 원가 기준선을 포함하고 있다. 프로젝트 관리계획은 단순히 하부 계획 및 3개의 기준선을 수집하는 게 아니고, 통합하고 조정하여 완성된다.

03 정답 ④

프로젝트 헌장은 스폰서와 프로젝트 관리자가 같이 협의하여 작성하고 스폰서가 승인한다.

04 정답 ④

프로젝트 관리계획은 프로젝트 관리자가 팀원들이 만든 것을 기반으로 작성한다. 스폰서는 프로젝트 차터의 작성에는 관여하나 프로젝트 관리 계획에는 관여하지 않는다.

05 정답 ④

프로젝트 변경 요청사항 승인 및 거부 활동은 통합 변경 통제 수행 프로세스에서 이루어진다.

06 정답 ④

프로젝트 관리자의 중요한 역할은 팀원에 대한 자기 계발과 팀워크 향상이다. 프로젝트 관리자는 프로젝트를 직접 관리하여야 한다. 중요한 요소들을 전부 위임해버리면 프로젝트 성과는 좋아질 수가 없다. 위임은 부분적으로 작은 단위에서 이루어져야 하고 프로젝트 관리자는 위임된 사항도 관리 책임을 진다.

07 정답 ③

약속된 자원을 사용할 수 없는 것을 배울 때 최선의 방법은 자원 부족시 발생하는 영향 분석을 하여 그 충격을 알려 주는 것이다. 단순히 이야기하는 것보다 구체적으로 영향을 알려주는 전략이 필요하다. 그래야 자원을 공급받는지, 프로젝트 범위축소를 위한 정식변경 요청이 수행될 수 있다.

08 정답 ③

변경사항이 발생 시에는 다음과 같은 프로세스로 일을 진행하여야 한다.
① 먼저 변경에 따른 다른 부분과의 영향성을 분석한다.
② 영향성 분석 결과를 변경 요청하는 대상에게 알린다.
③ 변경 요청이 정식으로 들어오면 정식변경 통제 프로세스에 따른다.
④ 변경통제위원회(CCB)는 변경 요청을 승인 또는 거부한다.
⑤ 변경이 승인되면 실행에서 수행하고 문서와 계획을 갱신한다.

09 정답 ④

당신은 왜 고객이 좋아하지 않는지 그 이유를 정확히 확인하는 것이 필요하다. 의사소통방법에서도 Interactive communication이 가장 효과적이다. 그런 다음에 팀원과 만나서 대안을 결정하여야 한다.

10 정답 ④

변경이 발생할 때 순서를 잘 확인할 필요가 있다. 먼저 팀원과 같이 영향을 분석한다. 그런 다음에 내부적으로 상의한 후 고객에게 알린다. 고객이 정식변경 요청을 하면 변경 통제 수행의 절차를 거쳐 변경조치를 수행한다. 따라서 ④번을 보기 중에서는 우선적으로 해야 한다.

11 정답 ①

이미 변경관리계획 및 형상 관리계획들은 조직 프로세스 자산으로 잘 존재하고 있어야 한다. 변경관리계획이 잘 세워져 있다면 변경 발생 시 변경 관리를 위해 다시 계획을 세울 필요가 없다. 프로젝트 관리자가 변경 발생 시 다시 계획을 위해 시간을 허비하면 손해다.

12 정답 ②

매몰 비용은 프로젝트 예산에 포함되지 않는다. 프로젝트 예산에는 직접비, 간접비, 고정비용, 간접비용을 포함한다.

13 정답 ③

IRR(Internal Rate of Return: 내부수익률)은 NPV=0인 경우의 r(이자율)을 구하는 것이다. 따라서 IRR이 크다는 것은 수익률이 더 크다는 것을 의미한다.

14 정답 ①

모든 프로젝트 기록 등은 프로젝트 종료 시에 조직 프로세스 자산에 저장하여야 한다.

15 정답 ③

리스크 대응계획을 수립하는 것은 계획 중에 발생하는 것이고 리스크 발생 시 리스크 대응계획을 수행하는 것은 실행 프로세스에서 수행한다.

16 정답 ①

프로젝트의 관리 성과를 나타내기 위해서 가장 대표적으로 사용되는 것이 원가 기준선이다. 이것을 통해 프로젝트 현재 현황과 미래예측이 가능해진다. 획득 가치 기법이 원가 기준선과 연계되어 사용될 수 있다.

17 정답 ③

번호체계는 팀원들이 WBS(Work breakdown structure)를 분석할 때 필요한 요소를 정확하게 구별하고 식별하도록 도와준다.

18 정답 ④

WBS(Work breakdown structure)는 Total scope이므로 이해관계자들이 서로 작업을 확인하고 논의하는 데 도움이 된다.

19 정답 ②

범위 확인 프로세스의 핵심 산출물은 인수된 인도물(Accepted deliverables), 작업성과정보(Work performance information), 변경요청(Change requests) 등이다.

20 정답 ④

WBS(Work breakdown structure)는 목록 형태인 바, WBS(Work breakdown structure) dictionary는 Work package에 대한 자세한 설명을 포함하고 있다.

21 정답 ④

6,500,000/5,000,000=1.3, 즉 투자 대비 30% 수익을 가져왔다는 이야기이다.

22 정답 ①

Change control board 또는 Change control meeting에서 모든 변경요청을 승인 또는 거부한다. 변경요청 내역은 Change log에 기록 후에 의사소통관리 계획에서 정해진 절차대로 의사소통관리 프로세스를 통해 각 이해관계자에게 배포된다.

23 정답 ③

Benefit management plan이 프로젝트 헌장 개발의 입력물이다. Business case는 프로젝트 헌장 개발의 입력물이나 계획서가 아니고 문서이다.

24 정답 ②

항상 변경 요청사항에 대한 영향 분석이 우선이다. 그리고 분석 결과를 고객에게 알린다. 고객이 변경을 하겠다면 정식 변경절차를 따르도록 한다.

25 정답 ④

프로젝트 관리계획서는 3개의 기준선(범위, 일정, 원가)을 포함하고 있고 실행 및 종료의 지침이다. 성과를 검토하려면 먼저 기준선 대비 작업성과 데이터를 비교하여야 한다.

26 정답 ④

검증된 인수물은 품질 통제의 산출물이며 범위 확인에 들어간다. 종료 시에는 인수된 인도물을 받아 최종 제품을 고객에게 인도하고 프로젝트 관리 계획서에 따라 종료한다. 모든 자산은 조직 프로세스 자산으로 잘 보관한다.

27 정답 ②

프로젝트 일정을 단축하기에는 자원 투자가 없는 일정 병행 단축 기법인 Fast tracking을 하는 게 가장 바람직하다.

28 정답 ①

수용(Accept)은 부정적 대응 전략과 긍정적 대응 전략에 공통으로 사용되나, 사용되는 방법은 다르다. 부정적 대응 전략은 리스크가 발생하면 Contingency reserve를 사용하고, 긍정적 대응 전략에서의 수용(Accept)은 그냥 발생하여도 아무 조치도 하지 않는다.

29 정답 ②

국제 프로젝트 환경은 가상 팀(Virtual team)으로 일하고 있다. 지역적으로 팀원들이 떨어져 있기 때문에 의사소통능력이 매우 중요하다.

30 정답 ①

이해관계자들이 각자의 생각을 제시하고 유사한 의견을 모아서 최종적으로 의견을 수집하는 기법을 친화도라고 한다. 이 기법은 주로 Workshop을 실시할 때 사용되는 효과적인 기법이다.

31 정답 ④

조달에서 Seller proposals는 실행 프로세스 그룹에 있는 조달 수행 프로세스에 들어간다. 이해관계자 식별 프로세스에서도 변경 요청이 발생한다.

32 정답 ④

고객의 조직 프로세스 자산으로 프로젝트에서 이용하는 것은 큰 문제가 있다. 조직 프로세스 자산은 Confidential에 해당하는 부분으로 일부 공유에도 절차가 따라야 한다.

33 정답 ②

착수의 시작 시점은 모호할 때가 많다. 왜냐하면 사전 타당성이 포함되는 과정이 있어 공식 착수도 착수이지만 선 착수도 있어 언제 착수가 되었는지 명확하지 않다. 일반적으로 프로젝트의 경계는 프로젝트의 착수부터 종료 단계까지이다. 프로젝트 산출물들을 고객이 사용한다고 있는 부분과 프로젝트 스폰서가 프로젝트를 생각하고 있는 시점도 프로젝트 경계 밖에 해당한다.

34 정답 ②

프로젝트 관리자를 포함하면 총 프로젝트팀원 수는 5명이다. 1명이 나가고 2명이 들어왔으니 1명이 기존보다 늘어난 셈이다. 따라서 프로젝트팀원 수는 총 6명이 된다. 따라서 의사소통 채널 수는 공식에 의거하여 6(6-1)/2= 15개이다.

35 정답 ①

식별된 리스크가 발생하여 Contingency plan을 가동하면서 대응 전략을 가동하자 이로 인해 발생한 새로운 리스크를 2차 리스크(Secondary risks)라 부른다.

36 정답 ①

비슷한 과거 프로젝트에서 추정하는 방식을 Top-down estimation이라고 하며, 유사산정이라 한다. 예산추정이 정확하지는 아니하지만 빠르게 추정할 수 있어 유용하다. 대신 전문가 판단을 통해 보완하여야 한다.

37 정답 ③

보험은 대표적인 리스크 전가 방식이다. 혹시 여행 중 문제가 생기면 문제가 발생하므로 보험 가입을 한 것이다.

38 정답 ②

계약서 내에 포함이 되어 있는 조달 작업 기술서는 업체가 조달해야 하는 제품(인도물)의 상세한 내용이 들어가 있다. 따라서 이 것을 먼저 살펴보아야 한다.

39 정답 ②

총 이해관계자는 12-5+1=8명(8×7)/2=28-의사소통 채널 수

40 정답 ①

Work package는 활동 및 원가 산정의 중요 대상이다. 일정과 관련해서는 Work package에서 Activity를 찾아내고, 원가 산정에서는 부분 원가 산정을 실시한다.

41 정답 ①

X-이론이란 팀원은 수동적이어서 관리하여야 한다는 이론을 말한다. 근태를 관리함은 이런 속성을 말해준다.

42 정답 ①

기준 일정보다 일정을 단축하는 것은 기회의 활용이다. 예를 들어 계약에서는 인센티브를 넣어서 계약하는 방식으로 일정을 단축하면 이는 활용이라는 긍정적 리스크의 대응전략을 사용하는 것이다.

43 정답 ①

Forming 시에는 팀이 새롭게 만들어졌으므로 프로젝트팀원들이 자신이 어떤 일을 해야 하는지 잘 알지 못한다. 이런 경우에 프로젝트 관리자는 지시적 리더십으로 팀원들에게 일에 대한 지시를 적절히 해 주어야 한다.

44 정답 ①

프로젝트 관리자가 직접 자신이 결정을 내리는 것은 독단적 리더십, 즉 지시적 리더십이다.

45 정답 ②

제품의 SW의 품질을 전부 확인하기 위해서 새로운 시험기를 도입한 것은 품질평가를 위한 것이다. 평가 비용을 사용한 것이다.

46 정답 ①

프로젝트 관리자 입장에서는 Push communication이고, 팀원의 입장에서는 Pull communication에 해당한다.

47 정답 ②

Facilitator가 전문가로부터 익명으로 여러 차례 의견을 받고 그것을 잘 모아서 조정하고 정리하는 기법은 그룹 창의력 기법의 하나인 델파이 기법이다. PMBOK 6판에는 빠져 있으나 출제가 되는 문제이므로 알아야 한다.

48 정답 ④

원가 산정 프로세스에서 Contingency reserves를 분석하고, 예산 결정 프로세스에서는 Contingency reserves와 Management reserves를 같이 분석한다.

49 정답 ①

Critical path 상의 Float는 0이다. 즉 여유시간이 전혀 없다. 또한 Float 0의 연결선이라고도 한다.

50 정답 ②

Project의 목표 달성에 긍정적 또는 부정적 영향을 미치는 불확실한 사건이나 이벤트는 Risk에 대한 정의이다.

51 정답 ④

휴게실에서의 가벼운 대화는 Informal verbal에 해당한다.

52 정답 ①

프로젝트 추진 중 발생하는 문제의 요인이 되는 변수 또는 파라미터에 대한 관계를 도식화하는 기법은 Scatter diagram이다. 산점도에는 2가지 변수로 상관관계를 만든다.

53 정답 ①

팀원의 의견을 추후로 미루는 것이므로 일단 회피(Avoid)로 보아야 한다.

54 정답 ③

보험 가입을 조항에 삽입은 리스크 전가의 방법이다.

55 정답 ②

프로젝트 종료가 얼마 안 남은 상황에서 한 팀원이 계약 만료가 되면 팀의 자원 부족이 예상된다. 이것은 일정 지연의 리스크이다. 이를 등록하고 대응계획을 만들어야 한다.

56 정답 ③

프로젝트가 중단되어 취소되면 그동안 투자된 비용은 회수가 불가능하므로 Sunk cost, 즉 매몰 비용이 된다.

57 정답 ②

리스크 식별에 사용되는 도구 및 기법은 아주 다양하다. 대부분은 요구사항 수집이 사용되고, 그 외에 SWOT 분석 등도 사용이 된다.

58 정답 ③

일정 및 원가에 여유가 없다면 일정을 병행으로 검토하여 비용에 영향을 주지 않는 일정을 단축시키는 Fast tracking을 검토해야 한다.

59 정답 ③

역시 미래가치가 클수록 좋은 프로젝트이다. 수익성 측면에서는 그렇다. 참조로 전략적인 측면을 늘 검토하는 부분도 잊지 말아야 한다.

60 정답 ①

정성적 리스크 분석 수행에서 위기 확률 및 영향 평가(Risk probability and impact assessment)를 통해 식별된 각 위기에 대해 확률 및 영향을 평가한다. 리스크의 확률 및 영향은 리스크 관리 계획서에 기술된 정의에 따라 등급 부여하며 확률-영향 등급이 낮은 리스크는 향후 감시를 위해 감시목록(Watch list)에 포함한다.

61 정답 ②

Pull communication에 해당하는 것은 e-learning으로 일방적으로 정보를 당겨오는 것이다.

62 정답 ④

고정 가격 방식 계약은 판매자의 원가 상승 요인이 있어도 기존 가격을 유지하는 방식의 계약으로 구매자에게 유리한 계약 방식이다.

63 정답 ①

이전 프로젝트들의 모든 문서 및 기록은 조직 프로세스 자산에 저장된다.

64 정답 ②

문제를 예방하기 위한 예방조치는 리스크 관리 부분의 중요한 역할이다.

65 정답 ③

66 정답 ②

가장 좋은 갈등 해결방법은 문제 해결 방식이지만, 시간이 오래 걸리는 단점이 있다.
이 문제에서는 일정이 촉박한 상태이므로 타협을 만들어야 한다.

67 정답 ①

PMO 역할은 프로젝트에서 관리 방법론 및 프레임을 제공하는 것이다.

68 정답 ②

팀원을 교육하고 Coaching 하는 것이 팀 개발 프로세스의 한 부분이다. 도구 및 기법에 Training이 있다.

69 정답 ②

모든 이해관계자는 변경에 있어서는 정식변경절차를 따라야 한다.

70 정답 ②

품질시험 결과를 일일이 확인하고 체크할 때는 Check sheet를 사용한다.

71 정답 ①

요구사항 수집이 완료되면 범위를 정의하여야 한다.

72 정답 ①

전문가 판단은 여러 주제 전문가에게 자문하는 것으로 주로 통합관리 영역에서 많이 사용된다.

73 정답 ①

Bidder conference는 Contractor conferences, vendor conferences, pre-bid conferences라고 부르며 제안서 작성 전에 잠재적 판매자들과 가지는 회의이다. 모든 잠재적 판매자들이 조달에 대해 분명하고 공통된 이해를 얻도록 보증하는 것을 목적으로 하고 있다.

74 정답 ①

Histogram은 변화의 분포도를 나타내는 수직 바 차트 (Bar chart)로 이 도구는 분포도의 모양과 폭에 의한 문제의 원인을 식별한다.

75 정답 ④

Kick off meeting은 일반적으로 기획 프로세스 영역에서 범위 관리 부문이 완료되면 바로 실시하는 것이 좋다. 프로젝트에 대한 배경과 목적을 설명하고 요구사항과 프로젝트 상세 내용을 이해관계자들과 공유하고 프로젝트를 원활하게 진행하고 수행하는 데 목적이 있다.

76 정답 ①

품질 요원은 제품의 검사에 있어 전수가 검사가 어려운 부분이 많이 발생하므로 통계적 샘플링 방법을 잘 이해하고 활용하여야 표준편차가 줄고 객관성 있는 품질 샘플을 얻어 낼 수 있다.

77 정답 ③

승인된 변경 요청을 실행하는 것은 실행 프로세스 그룹에 있는 Direct and manage project work process에서 수행한다.

78 정답 ④

승인된 변경 요청은 품질 통제 프로세스와 조달 통제 프로세스에서 재확인하여 시정조치가 제대로 되었는지를 모니터링한다.

79 정답 ④

④는 계약이 체결되고 나서 계약을 기준으로 하여 작업의 성과를 비교하여 만들어지는 것으로 조달 통제 프로세스에서 발생되는 내용이다.

80 정답 ②

Scope creep은 고객과 팀원이 서로 이해관계에서 조용히 정식적인 변경절차 없이 변경하여 범위를 증가시키는 것으로 이것은 추후 범위 확인 시 거부 또는 Field claim이 발생될 수 있어 매우 주의하여야 한다. 반드시 변경은 정식변경절차를 따라야 한다.

81 정답 ④

변경 요청 내용은 다 중요하다. 변경 요청의 내용에 따라 중요성이 좌우된다. 예방조치는 비용을 줄이고 큰 문제를 예방할 수 있고 결함 수정은 Field claim을 방지하기 위함이고 시정조치는 많은 부분의 문제를 고쳐주는 부분이 많다. 따라서 어떤 특정한 변경 요청 내용이 중요하다고 확정하기에는 문제가 있다.

82 정답 ④

원가기준선에 Management reserve를 합한 것이 프로젝트 전체 예산이 된다.

83 정답 ①

자금 한도 조정(Funding limit reconciliation)은 프로젝트 자금을 집행할 때 자금 한도에 맞춰 지출을 조정하는 것으로 산출물이 아닌 도구 및 기법이다. 자금 한도 조정의 결과로 프로젝트 자금 요구사항(Project funding requirements)이 나오게 되는 것이다.

84 정답 ④

단위 생산량의 크기가 클 때 전수검사가 사용하면 시간과 노력이 많이 들고 원가가 많이 증가한다. 즉 품질 비용이 증가한다. 이는 제품의 가격경쟁력에도 영향을 미친다. 따라서 단위 생산량이 많은 경우에는 표본검사를 하여야 한다.

85 정답 ②

변경 통제 도구는 통합 변경 통제 수행 프로세스의 도구 및 기법이다. 검증된 승인된 변경 요청이란 것은 없다. 변경 요청은 산출물이 아니고 입력물이다. 승인된 변경 요청이 이루어지면 실행에서 변경사항을 수행하고 프로젝트 관리 계획과 문서를 갱신하여야 한다. 변경에는 늘 문서와 계획이 같이 수정되어야 문제가 없다. 변경에 따른 버전 관리가 이루어지고 변경에 따른 기준선의 변경 등 계획이 갱신된다.

86 정답 ②

전문기술이 없어 외부에 의존하는 방식으로 리스크를 전가(Transfer)한 것이다.

87 정답 ③

Lessons learned는 프로젝트의 잘된 점과 개선할 부분을 작성하는 문서로 주기적으로 프로젝트 관리자의 주관 아래 팀원과 관련 이해관계자들이 같이 작성하는 것이 좋다.

88 정답 ④

프로젝트 착수단계에 변경이 발생하면 변경 비용충격이 작다. 그러나 시간이 지나 실행단계에서 변경이 발생하면 완성된 부분을 수정하여야 하므로 비용의 충격이 크다.

89 정답 ①

공정한 입찰을 위해 RFQ를 발송한다. 그런 다음에 제안서가 들어오면 좋은 평가점수를 받은 업체와 협상하여 계약 체결을 하면 된다.

90 정답 ②

공유(Share)는 브랜드 사용을 제휴 등 서로 간의 장점을 교환하여 시장에 진출하는 등 불확실성을 줄이기 위해 기회를 유리하게 이용하는 전략이다.

91 정답 ②

민감도 분석(Sensitivity analysis)은 불확실성 수준이 높은 변수의 상대적 중요성을 보다 안정적인 변수와 비교할 때 유용하다. 도표의 모양이 마치 회오리바람(Tornado)과 같이 생겨서 토네이도 도표라고 부른다.

92 정답 ③

위 설명의 모든 예는 품질의 문제가 발생하는 것을 완화하기 위한 노력이다.

93 정답 ③

프로젝트 스폰서는 프로젝트 종료 시의 최종 책임자이다.

94 정답 ④

프로그램은 프로젝트의 관리를 포함하며 프로그램 자체 문제도 해결한다. 그러나 전사 조직의 통합은 포트폴리오 관리 차원으로 보아야 한다.

95 정답 ④

초기부터 프로젝트 헌장 작성에 참여하여 프로젝트의 목적 및 배경을 이해하고 장점 등을 이해하는 데 도움이 된다.

96 정답 ①

편익 대비 원가의 지출 비율은 재무적 타당성 분석에서 핵심적인 부분이다. 일종의 프로젝트 재무적 타당성이다.

97 정답 ①

프로젝트 관리는 프로젝트 요구사항을 충족시키도록 필요한 지식, 기량, 도구, 기법 등을 활동에 적용하는 것을 말한다.

98 정답 ①

둘 다 사람이 하는 일로 프로젝트는 고유의 산출물을, 운영 업무는 지속적이고 반복적인 산출물을 만든다.

99 정답 ②

이 같은 이중 보고 관계에 대한 효과적인 관리는 프로젝트를 성공적으로 이끄는데 매우 중요하므로, 일반적으로 프로젝트 관리자의 책임이 된다.

100 정답 ①

교훈 정보를 수집하는 것은 팀 활동이다. 그것은 한 사람의 개인이 주어진 시간에 할 수 있는 일이 아니다. 관리 지원, 고객 관계, 팀의 상호작용 등을 평가할 때 단일한 시각으로 인해 형평성을 잃지 않도록 하기 위해서는 그룹의 참여가 중요하다.

101 정답 ②

Project expeditor(촉진자)는 의사결정권이 없지만, Project coordinator(조정자)는 약간의 의사결정권이 있다. 그러므로 Project expeditor에 비해 Project coordinator는 더 많은 의사결정권이 있다.

102 정답 ②

프로젝트가 완료되었으므로 변경 요청은 이제 필요 없다. 변경 요청은 프로젝트 생애주기 착수에서 기획, 실행, 감시 및 통제 프로세스에서 발생이 되지만 종료 프로세스에서는 변경 요청이 나오지 않는다.

103 정답 ②

프로젝트 종료에서 단계의 종료 및 프로젝트 종료를 의미한다.

104 정답 ④

프로젝트 목표 중에서 품질은 일정, 예산과 우선순위가 동일하다. 프로젝트의 4대 Trade-off가 범위, 일정, 예산, 품질이며, 서로 긴밀하게 연관되어 있기 때문이다.

105 정답 ③

프로젝트가 진행되면서 불확실성은 줄어드나, 변경 발생 시, 수정 비용이 많이 발생하는 단계는 실행 및 종료 직전 단계이다. 이유는 많은 부분이 만들어져 변경 시 충격이 크기 때문이다. 예를 들면 건축 시 설계 수정 비용보다는 건물이 거의 완성된 상태에서의 변경은 엄청난 추가 비용 발생 및 일정 지연을 야기할 수 있다.

106 정답 ①

착수 단계에서 불확실성이 가장 높고 이해관계자의 영향은 가장 적다. 그러나 변경 시 그에 따른 영향은 가장 작은 단계이다.

107 정답 ③

작업성과보고서는 감시 및 통제 프로세스 그룹에서 전체 프로젝트 감시 및 통제 프로세스의 산출물이다.

108 정답 ④

자원 및 가용성에 제한적이라면 균형 매트릭스 조직일 가능성이 크다. 강한 매트릭스 및 프로젝트 조직은 관리자로서 권한이 강력하다. 약한 매트릭스는 프로젝트 조정자와 촉진자가 등장하며 프로젝트 관리자는 조직에서 표현이 되지 않는다.

109 정답 ④

편익 관리 계획은 지속해서 제품의 편익이 발생하는지에 대한 판단을 제공하여 준다.

110 정답 ②

Program management는 프로젝트들 간의 상호 의존성에 초점을 두고 여러 프로젝트에 영향을 미치는 자원 제약 사항이나 갈등 해결한다. 또한 프로젝트나 프로그램의 목표와 목적에 영향을 주는 조직의 방향이나 전략 방향을 설정한다.

111 정답 ①

Portfolio management는 전략적 사업 목표 달성을 위해 프로젝트, 프로그램, 하위 포트폴리오 및 운영을 하나의 그룹으로 묶어 관리하는 것으로 포트폴리오에 속한 프로젝트나 프로그램들이 상호 의존적이거나 직접 연관될 필요는 없다.

112 정답 ④

Supportive(지원형)는 컨설팅의 역할을 하며 템플릿의 제공, 모범 관행의 개발, 훈련의 제공, 다른 프로젝트로부터의 정보/교훈 사항을 제공하는 Project repository 역할을 한다. Controlling(통제형)은 다양한 방법을 통한 준수를 요구하고 템플릿, 양식, 도구, 거버넌스에 대한 준수 등을 요구하며 통제한다. Directive(지시형)는 직접 프로젝트에 들어와서 직접 통제를 한다. 통합형은 없다.

113 정답 ①

기능 조직은 별도 프로젝트 관리자가 존재하지 않고 프로젝트에 관련한 조율만 하는 수준으로 직원들은 기능 관리자(Functional manager)의 지시를 받아 최소한의 지원을 하는 수준의 조직으로 일반적으로 큰 프로젝트 수행은 불가능하고 기존 프로젝트의 소규모 변경이나 중요하지 않은 소규모 프로젝트 수행에 적합한 구조이다.

114 정답 ②

균형 매트리스 조직은 프로젝트 관리자의 필요성은 인정하지만, 프로젝트 및 프로젝트 자금 조달에 대한 전권을 프로젝트 관리자에게 제공하지 않는다. 이런 조직구조에서 직원들은 기능 부서장과 프로젝트 관리자에게 이중 보고해야 하는 문제를 가지고 있으나 회사 차원에서 보면 자원의 극대화라는 측면이 있다. 이런 조직구조에서 프로젝트 관리자는 기능 관리자(부서장) 밑에 있어 자원/예산 사용에 제약을 받을 수 있다.

115 정답 ②

①번의 문제점도 있지만, 제한된 자원을 여러 프로젝트에 분배해야 할 경우, 프로젝트 간에 자원 할당의 우선순위로 인한 갈등이 더 큰 문제로 발생한다.

116 정답 ④

프로젝트 관리자의 권한이 큰 순서는 다음과 같다
프로젝트화 된 조직〉 강한 매트리스 조직〉 중간 매트리스 조직〉 약한 매트리스 조직〉 기능조직

117 정답 ④

제품 생애주기가 일반적으로 프로젝트 주기보다 광범위하다.

118 정답 ②

프로젝트에 영향을 주거나 받는 개인 및 조직을 이해관계자라고 한다. 물론 회사 외부에도 존재한다. 예: 고객, 외부기관 등.

119 정답 ①

PMO는 프로젝트의 상위 수준으로 관리하며 프로젝트 간 자원관 등 전체적인 의사소통 및 경영층에 프로젝트의 중요사항 등을 보고하는 데 있다.

120 정답 ④

나머지는 조직 프로세스 자산이다.

121 정답 ③

교훈 정보를 수집하는 것은 팀 활동으로 만들어지는 것인데 각 프로젝트에서 작성된 교훈사항은 다음의 프로젝트에 반영하여 효율적인 프로젝트 수행에 도움을 주기 때문이다.

122 정답 ②

②를 제외한 부분은 조직 프로세스 자산의 Template 및 표준에 관한 것들이다. 지식 관련된 조직 프로세스 자산은 프로젝트를 진행하면서 생긴 결과물들이 축적된 것들이다.

123 정답 ①

프로젝트 결과와 실행을 향상하기 위해 만들어진 중심 조직으로 경영진과 밀접한 관계가 있다.

124 정답 ④

원가와 기간만 맞추었다고 프로젝트가 성공한 것은 아니다. 프로젝트 범위에 대한 이해관계자 요구사항과 조직의 프로세스 및 문화를 유지하면서 적절한 프로세스와 정의된 프로세스 접근으로 수행하는 것이 중요하다.

* 용어(Tailoring): 프로세스를 조직의 규모에 맞게 조절하는 작업이다. 작은 조직은 정의된 47개 프로세스를 전부 지킬 수 없을 수도 있다. 따라서 이에 대한 Process를 단순화 하는 작업이 필요하다. 이러한 노력을 "Tailoring 한다"라고 한다.

125 정답 ②

리스크와 관련된 정형화된 문서적인 조치는 역시 변경 요청과 관련되어 예방조치이다.

126 정답 ④

프로젝트 관리계획이 점차 상세해지는 것을 전문 용어로 '연동 기획(Rolling wave planning)'이라 한다. 이는 기획이 반복적이고 지속적인 노력이라는 것이다.

127 정답 ①

종료 시에는 대부분 문서가 업데이트되며 프로젝트 헌장은 초기 착수 문서이므로 대상에서 포함이 되지 않는다.

128 정답 ③

이해관계자 참여계획 수립의 입력물은 프로젝트 헌장, 가정사항 기록부, 계약 등이다. 프로젝트 범위기술서는 입력물이 아니다.

129 정답 ②

이해관계자참여계획수립 프로세스의 도구 및 기법은 전문가 판단, 의사결정, 회의 등이다. 기본규칙은 아니다.

130 정답 ①

이해관계참여관리 프로세스의 도구 및 기법은, 의사소통 기술, 회의, 갈등관리 등이다. 광고는 아니다.

131 정답 ①

착수 프로세스는 2개가 있다. 프로젝트 헌장 개발, 이해관계자 식별이다. 이 2개의 인도물(산출물)을 이해하면 된다.

132 정답 ③

편익 부분은 내부적으로 별도 분석되는 것이고 고객에게 제출하는 최종보고서에는 인도물과 관련된 인수 증거 및 관련 데이터 및 보고서 등이 포함된다.

133 정답 ②

내용을 보면 고객의 요청에 따라 입찰을 통해 프로젝트가 착수된 것이다.

134 정답 ②

프로젝트의 복잡성을 증가시키는 부분에 있어서 비즈니스 편익에 대한 상당한 기대감이 중요한 요소일 수 있다. 그 이유는 각 이해관계자가 많은 간섭을 하는 거버넌스가 존재할 수 있기 때문이다.

135 정답 ②

이해관계자 참여 계획은 이해 관리자 참여관리와 요구사항 수집 프로세스의 입력물이다. 품질 관리계획은 인도물에 대한 품질 뿐만 아니라 프로젝트 관리성과도 관리하므로 기준선(범위 /원가)들이 품질관리계획 프로세스에 투입된다.

136 정답 ②

리스크 관리계획 수립에서는 리스크를 어떻게 관리할 것인지를 준비하는 것이다, 아직 리스크 목록이 없는 상태이다, 다음에 리스크를 식별하고, 정성적 리스크 분석을 통해 심각성을 기준으로 우선순위(높은/중간/낮음)를 정한 후 높은 우선순위는 정량적 리스크 분석 수행을 통해 돈과 시간을 분석하고 그 결과를 통해 리스크 대응계획을 통해 맞춤형 계획을 완성하고 승인을 받는다. 리스크 관련 예비비가 준비되고 리스크 책임자가 결정되어 준비된다. 이제 리스크가 터지면 대응계획에 맞게 신속 대응하면 된다.

137 정답 ③

품질통제는 감시 및 통제 프로세스이므로 실적으로 작업성과 데이터가 들어간다.

138 정답 ③

프로젝트 헌장의 입력물인 비즈니스 케이스는 전략적인 부분과 재무적인 경제적 타당성 분석을 다 포함하고 있다.

139 정답 ④

범위 확인을 통과한 인도물은 수용된 인도물이라 하며, 바로 종료 프로세스로 보내진다.

140 정답 ④

승인된 변경이 제대로 실행되었는지를 재확인하기 위해, 승인된 변경 요청은 품질 통제 프로세스에서 검사를 통해 확인되고, 조달 통제 프로세스로도 들어가서 승인된 변경 요청은 조달 작업 기술서를 포함하여 계약의 내용을 변경할 수 있다.

141 정답 ②

예산을 가장 많이 사용하는 것은 역시 실행이다. 프로젝트 작업 지시 및 관리는 전체 실행을 의미하므로 정답으로 적정하다.

142 정답 ③

CCB는 프로젝트 또는 단계에서도 존재할 수 있다.

143 정답 ④

프로젝트 헌장은 단계별 비즈니스 needs를 재검토하게 되며 갱신된 부분을 승인받고 변경할 수 있다. 프로젝트 진행 후 또다시 헌장을 승인받지는 않고 그 안에 있는 비즈니스 타당성 부분만 다시 승인받는 의미이다.

144 정답 ①

프로젝트를 수행하면서 실패한 내용/성공한 사례 등을 잘 요약하여 만들어 놓은 문서가 Lessons learned이다. 조직 프로세스 자산인 Database에 저장해 놓는다. 그 이유는 다음 프로젝트에서 선례 정보를 이용하여 원가정보/일정정보 및 중요한 프로젝트 정보를 참조하여 프로젝트 성공확률을 높이기 위함이다.

145 정답 ②

하나를 선택하면 이로 인해 다른 하나를 포기했을 때의 비용이다. 따라서 프로젝트 A를 포기한 비용이므로 6억 원이다. 선택 안 중 서로 간의 차이 금액이 아님을 주의해야 한다.

146 정답 ④

프로젝트의 종료 시에는 범위 확인을 마친 공식 인수된 인도물과 그동안 축적한 교훈 사항들이 투입된다. 작업성과보고서는 종료 시에는 투입되지 않고, 실행 및 감시 및 통제 시 프로젝트 성과의 실적 근거로 투입된다.

147 정답 ①

프로젝트 교훈은 프로젝트 관리자의 지휘 아래 관리자 및 팀원이 수시로 프로젝트 진행 중 주기적으로 작성하다가 종료 시 최종 마무리하여 조직 프로세스 자산에 이관시켜야 마무리된다.

148 정답 ①

따라서 이제는 그동안 정리해 온 교훈 작성(lessons learned)을 마무리하고 보관하는 것이다. 그리고 팀 해체에 따른 문제를 정리하는 것이다.

149 정답 ②

프로젝트 헌장은 프로젝트를 공식적으로 승인하는 문서로 프로젝트 스폰서에 의해 승인된다. 관련 내용에 따라 프로젝트 관리자에게 프로젝트 수행에 필요한 자원(인력 포함)을 사용할 권한을 제공한다.

150 정답 ①

프로젝트가 Pre-mature closing or cancellation이 되는 이유로 볼 수 없는 것은 '프로젝트를 수행하기 위한 팀원의 부족 문제이다. 프로젝트가 진행되면 조직내외 노력을 통해 팀원을 보충하고 프로젝트를 수행하여야 한다. 그러나 자금공급의 중단이나, 타당성 분석 결과의 부정적 결과 및 중대한 변경으로 인한 기준선 준수 불가는 프로젝트 중단 사유가 될 수 있다. 중대한 변경 시는 별도 프로젝트로 수행하거나, 대대적인 기준선 변경 합의 후 진행할 수 있다.

문제 풀이를 위한 양식 [3회 1~100]

1		26		51		76	
2		27		52		77	
3		28		53		78	
4		29		54		79	
5		30		55		80	
6		31		56		81	
7		32		57		82	
8		33		58		83	
9		34		59		84	
10		35		60		85	
11		36		61		86	
12		37		62		87	
13		38		63		88	
14		39		64		89	
15		40		65		90	
16		41		66		91	
17		42		67		92	
18		43		68		93	
19		44		69		94	
20		45		70		95	
21		46		71		96	
22		47		72		97	
23		48		73		98	
24		49		74		99	
25		50		75		100	

문제 풀이를 위한 양식 [3회 101~150]

101		126		MEMO
102		127		
103		128		
104		129		
105		130		
106		131		
107		132		
108		133		
109		134		
110		135		
111		136		
112		137		
113		138		
114		139		
115		140		
116		141		
117		142		
118		143		
119		144		
120		145		
121		146		
122		147		
123		148		
124		149		
125		150		

실전 모의고사 150문제

4회

4차수 문제는 종합적으로 마무리하는 부분으로 다양성을 추가하였다. 전체적으로 중요한 부분을 다시 정리하여 출제하였고, 새로운 형태의 문제를 출제하여 실전에 한층 준비하도록 하였다.

실전 모의고사 4회

01 프로젝트 수행에 있어서 Project의 완료를 위해 가장 중요하게 수행하여야 하는 것은 다음 중 무엇인가?

① 프로젝트 자금사용의 재무적 자료
② 범위 확인을 통한 공식적 인수
③ 외부업체와의 구매 관련 자료
④ 요구사항 추적 매트릭스

02 프로젝트 관리자는 주어진 프로젝트에 대한 요구사항이 매우 역동적이며 예측할 수 없는 방식으로 빈번하게 변할 수 있다고 생각한다. 프로젝트의 과제 중 하나는 이러한 변화에 적응하는 것이다. 이러한 변화에 대처하고 대응할 수 있는 최상의 생애주기 모델을 채택한다면 다음 중 어느 것인가?

① 예측형 수명주기
② 애자일 / 적응형 라이프 사이클
③ 계약형 수명주기
④ 폭포형 수명주기

03 프로젝트 조직인 경우 프로젝트 종료 시 제일 마지막으로 하는 일은?

① 팀 구성원의 재배치
② 프로젝트 문서들의 보관
③ 계약 클레임의 종결
④ 고객에 인도물의 이관

04 회사에서 프로젝트 수행 지원을 위해 프로젝트 정보 시스템의 구입을 검토하고 있다. 사용 모델을 선택하는 데 있어서 가장 중요하게 고려해야 하는 것은?

① 실현 가능성(Realization)

② 사용 편리성(Ease to use)

③ 유동성(Flexibility)

④ 비용(Cost)

05 프로젝트 종료 단계에서, 대부분 갈등의 원인은?

① Cost overruns(비용 초과)

② Schedule delay(일정 지연 문제)

③ technical issues(기술적 이슈)

④ Reward(보상 문제)

06 통합 변경 통제 수행 프로세스의 산출물은 다음 중 어느 것인가?

① 변경 요청

② 승인된 변경 요청

③ 작업성과정보

④ 원가 예측치

07 프로젝트 헌장(Project charter)은 누구에 의해서 승인되어야 하는가?

① Project manager

② An entity to the project such as a sponsor or PMO

③ The head of the performing organization

④ Functional managers and the project manager

08 일반적으로 프로젝트 자원이 추가되어 나타나는 효과로 가장 가까운 것은?

① 제품의 품질이 좋아진다.

② 변경관리에 유연하게 대처 가능하다.

③ 전반적으로 일정이 단축된다.

④ 자원이 투입되면 수확 체감의 현상이 발생하여 부정적인 영향이 발생한다.

09 통합 변경 통제 수행 프로세스에서 변경통제위원회(CCB: Change control board)는 변경 요청사항에 대한 승인 또는 거부를 할 수 있다. 이에 구성요소는 어떻게 되는가?

① 주제 관련 전문 이해관계자

② 자금책임을 가지고 있는 스폰서

③ 인도물을 인도받는 고객

④ 외부 컨설팅

10 통합 변경 통제 시스템을 실시하는 근본적인 이유는 무엇인가?

① 프로젝트 관리에서 발생하는 변경 요청의 내용을 정확히 이해하기 위해서
② 프로젝트에서 발생하는 변경 요청을 통제하여 요청의 횟수를 줄이기 위해서
③ 프로젝트 관리에서 긴급한 변경 요청 내용을 가장 빠르게 반영하기 위해서
④ 변경 요청 시 변경내용의 정식 문서화를 통한 절차 확립 및 버전 관리 등을 철저히 하기 위해서

11 프로젝트 범위 관리 프로세스에서 고객의 제품 인수와 관련된 프로세스는 무엇인가?

① 범위 정의
② 범위 통제
③ 범위 확인
④ WBS 만들기

12 요구사항 수집 기법 중 전문가들 사이에 익명으로 하고 전문가들로부터 의견을 수집하는 것은 무엇인가?

① 마인드맵(Mind map)
② 명목 집단법(NGT: Nominal group technique)
③ 델파이 기법(Delphi technique)
④ 친화도(Facility diagram)

13 다음 보기 중 순서에 따라 가장 먼저 하는 것은 어떤 것인가?

① 범위 기준선 작성
② 범위 기술서 작성
③ 요구사항 문서 작성
④ WBS 작성

14 WBS와 WBS 사전과의 차이점은 무엇인가?

① WBS 사전은 작업의 책임자, 작업을 어디서 하며 작업 수행 기준 등 자세한 내용이 기입되어 있다.
② 둘이 다른 점이 없으며 WBS가 WBS 사전 내용을 포함하고 있다.
③ WBS는 프로젝트의 자세한 내용을 담고 있지만, 사전은 작업 용어에 대한 설명만 담겨있다.
④ 서로 전혀 관계가 없다.

15 몇 개의 Work package를 다시 Grouping하여 프로젝트를 효율적으로 비용 및 일정을 통제하는 단위를 지칭하는 용어는?

① 통제 계정(Control account)
② 100% rule
③ WBS(Work breakdown structure)
④ Code of account

16 WBS를 포함한 Scope baseline이 직접적인 입력물이 아닌 프로세스는 어느 것인가?

① 활동 정의(Define activities)
② 리스크 대응계획(Risk response plan)
③ 예산 결정(Determine budget)
④ 원가 산정(Estimate costs)

17 다음 중 프로젝트 작업 지시 및 관리 프로세스의 산출물은?

① 변경 요청들(Change requests)
② 승인된 변경들(Approved changes)
③ 프로젝트 관리계획(Project management plan)
④ 작업성과보고서(Work performance report)

18 프로젝트의 성공 가능성을 높이기 위하여 일정과 예산에 대한 정확한 산정을 위하여 준비하여 작성하는 것은?

① Work breakdown structure
② Resource planning
③ Resource leveling
④ Executing processes

19 WBS(Work breakdown structure)에 관한 설명 중 잘못된 것은?

① WBS에 없는 작업은 프로젝트 범위 밖의 업무이다.
② WBS를 통해 각각의 과업에 대한 책임 할당이 가능하다.
③ WBS의 최하위 단위는 WBS dictionary라고 부른다.
④ WBS는 목록 형태의 문서이며, WBS와 code로 연결된 보조 문서 WBS dictionary가 작업내용을 상세히 설명해준다.

20 다음 일정 개발 기법 중 Project buffer를 사용하여 활동에 여유를 추가하여 일정을 작성하는 기법은?

① Critical path method
② Resource leveling
③ Critical chain method
④ What if scenario analysis

21 일정 관리에서 마일스톤(Milestone)의 의미로 가장 적절한 것은?

① 어떤 중간 단계에서의 종료 및 중요한 시점을 의미
② 자원 활용계획을 의미
③ 시간 일정을 의미
④ 전체 계획을 의미

22 어떤 활동이 끝나고, 일정(특정) 시간이 지난 후에 후속 활동을 시작하는 것을 무엇이라고 하는가?

① Float
② Lag
③ Free float
④ Total float

23 프로젝트 범위 관리계획 수립 프로세스의 입력물이 아닌 것은 다음 중 어느 것인가?

① 기업 환경요인
② 품질관리계획서
③ 프로젝트 헌장
④ 리스크 관리계획

24 일정 관리에서 집중된 작업 활동에 대한 Resource leveling을 실시하면 일반적으로 어떻게 되나?

① 프로젝트에 대한 전체 비용이 증가한다.
② 프로젝트의 종료 날짜가 지연된다.
③ 더욱 적은 자원을 요구하게 된다.
④ 반드시 더욱 많은 자원을 요구하게 된다.

25 다음 중 불확실한 프로젝트 일정계획을 개선하기 위해 개발된 분석법은?

① PERT(Program evaluation review technique)
② CPM(Critical path method)
③ ADM(Arrow diagramming method)
④ PDM(Precedence diagramming method)

26 다음 일정 개발 기법 중 활동 내용이 화살표 위에 있고 흐름(순서)이 노드(원형)에 위치하면서 연관관계가 FS만 표시되는 것은?

① PERT(Program evaluation review technique)
② CPM(Critical path method)
③ AOA(Activity on arrow)
④ PDM(Precedence diagramming method)

27 프로젝트 범위 관리계획 수립 프로세스의 도구 및 기법이 아닌 것은 다음 중 어느 것인가?

① 대안 분석
② 회의
③ 전문가 판단
④ 감사

28 PDM과 ADM의 설명 중 잘못된 것은 무엇인가?

① PDM 방식은 노드(Node) 안에 활동을 표현한다.

② ADM 방식은 화살표 위에 활동을 표현한다.

③ PDM은 활동의 연계를 노드를 사용하고 ADM은 화살표를 사용한다.

④ PDM은 활동의 연관 관계를 4가지(FS, FF, SF, SS) 전부 사용하며, ADM 방식은 FS 관계만을 표현한다.

29 활동 기간 산정에서 사용되는 기법의 PERT와 GERT 설명 중 잘못된 것은 무엇인가?

① GERT는 노드(Node) 구현에 유연성이 있다.

② GERT는 앞의 사건으로 다시 돌아가는 것이 가능하다.

③ PERT는 시간 산정을 위해 베타 확률 분포의 형태를 사용한다.

④ PERT는 GERT보다 통제 도구로써 사용이 어렵다.

30 프로젝트 범위 관리계획 수립 프로세스의 산출물은 다음 중 어느 것인가?

① 범위 기준선

② 요구사항 관리계획서

③ 프로젝트 범위 기술서

④ 변경관리계획서

31 프로젝트 헌장과 관련하여 프로젝트 생애주기 및 주요 이해관계자 관리대장에 대한 정보는 프로젝트 헌장의 어느 부분에서 찾을 수 있는가?

① 프로젝트 목표

② 개략적인 요구사항

③ 요약 마일스톤

④ 개략적인 프로젝트 설명

32 CPI= 1.12, SPI= 0.91인 경우 현재 프로젝트의 상태는 어떠한가?

① 일정 단축, 비용 초과

② 일정 지연, 비용 절감

③ 일정 단축, 비용 절감

④ 일정 지연, 비용 초과

33 품질 관리에서 품질 통제 프로세스의 산출물인 품질 통제 측정치(Quality control measurements)는 어디로 입력이 되는가?

① 품질개선을 위해 품질관리 프로세스로 들어가서 사용된다.

② 관리도(Control chart)를 개발하기 위해 사용된다.

③ 품질관리계획을 위한 입력물로 사용된다.

④ 조직의 리스크 관리를 하기 위해 사용된다.

34 당신은 팀 회의를 소집하여 팀에게 신규 프로젝트의 목적을 설명하였는데 거기에는 프로젝트 품질관리계획이 포함되었다. 당신은 모든 품질관리계획의 목적을 뭐라고 설명하겠는가?

① 적시에 프로세스 조절(Process adjustments)이 이행해졌는지 확인하기 위해
② 사용 생물체의 사용을 관할하는 모든 규정이 준수되었는지 확인하기 위해
③ 프로젝트 성과의 모든 측면에서 품질을 개선하기 위해
④ 경험에 의해 수립된 범위 관리계획이 준수되었는지 확인하기 위해

35 요구사항 수집 프로세스의 도구 및 기법이 아닌 것은 다음 중 어느 것인가?

① 전문가 판단
② 마인드 매핑
③ 배경도
④ 합산

36 품질 통제에 사용되는 Fishbone diagram을 사용하는 목적은?

① 품질의 원인 분석을 위해
② 품질 결과 유추를 위해
③ 품질과 관련된 이해관계자를 찾기 위해
④ 프로젝트의 성과 향상을 위해

37 범위 정의 프로세스의 입력물이 아닌 것은 다음 중 어느 것인가?

① 가정 사항 기록부
② 요구사항 문서
③ 리스크 관리대장
④ 변경사항 기록부

38 프로젝트 관리의 초기 계획 수립 단계에서 효과적인 프로젝트 관리자의 리더십 유형은 무엇인가?

① 지시적 리더십
② 참여적 리더십
③ 협조적 리더십
④ 카리스마적

39 다음 중 프로젝트에서 해결해야 하는 문제에 대해 최선의 의사결정을 내리기 위해 팀원들의 지식을 끌어 내는데 가장 적합한 관리 스타일은 무엇인가?

① 지시적(Directive)
② 민주적(Democratic)
③ 독재적(Autocratic)
④ 자유방임적(Laissez-faire)

40 효과적인 팀 개발(Develop Team)의 가장 중요한 결과는 무엇인가?

① 개인의 능력을 높이고 및 Team work을 강화해 전체 프로젝트의 성과를 높이는 것이다.
② 효율적이고 원만하게 운영되는 팀을 만든다.
③ 프로젝트 성과를 개선시킨다.
④ 개인 및 팀원으로서 공헌할 수 있는 역량 향상한다.

41 범위 정의 프로세스의 도구 및 기법이 아닌 것은 다음 중 어느 것인가?

① 대안 분석
② 촉진
③ 검사
④ 전문가 판단

42 다음 중 갈등 해결 방법 중 가장 시간이 오래 걸리는 것은?

① Avoiding
② Withdrawing
③ Smoothing
④ Problem solving

43 범위 통제 프로세스의 도구 및 기법은 다음 중 어느 것인가?

① 차이 분석
② 검사
③ 분할
④ 감사

44 다음 중 의사소통 채널 수 공식으로 맞는 것은?(n: 사람 수)

① (n-1)/2
② n×(n-1)/2
③ n×(n-2)/2
④ n×(n-1)

45 범위 통제 프로세스의 입력물이 아닌 것은 다음 중 어느 것인가?

① 범위 관리계획서
② 요구사항 문서
③ 작업성과 데이터
④ 작업성과 보고서

46 범위 확인 프로세스의 입력물이 아닌 것은 다음 중 어느 것인가?

① 범위 기준선
② 요구사항 문서
③ 요구사항 추적 매트릭스
④ 프로젝트 헌장

47 범위 확인 프로세스의 도구 및 기법은 다음 중 어느 것인가?

① 검사
② 감사
③ 분할
④ 추이 분석

48 P-I matrix(확률과 영향 매트릭스)를 실제 사용하는 것은 어떤 프로세스인가?

① 리스크 관리계획 수행
② 리스크 식별
③ 정성적 리스크 분석 수행
④ 리스크 대응계획 실행

49 리스크 관리에서 식별되지 못한 리스크에 대한 대응계획을 무엇이라 부르는가?

① Fallback plan
② Contingency plan
③ Workaround
④ Trigger

50 리스크 대응기법 중에서 긍정적 리스크에 대한 대응 전략이 아닌 것은 다음 중 무엇인가?

① Mitigate
② Exploit
③ Share
④ Enhance

51 다음 중 정량적 리스크에 사용되는 기법인 것은?

① Delphi technique
② SWOT analysis
③ Monte carlo simulation
④ Brainstorming

52 리스크 대응계획에서 부정적 리스크에 대한 대응 전략이 아닌 것은?

① 전가
② 수용
③ 공유
④ 회피

53 리스크 관리에서 정량적 리스크 분석 프로세스의 주요 투입물은 무엇인가?

① 작업 분류체계(WBS) 및 마일스톤 목록

② 범위 기준선, 일정 기준선, 원가 기준선

③ 일정 관리계획, 원가 관리계획

④ 조달 관리계획, 품질 기준선

54 조달에 있어 계약이 필수적이다. 다음 계약 방식 중에서 판매자(Seller)에게 가장 유리한 계약 형태는 어느 것인가?

① Firm fixed price contracts

② Fixed price Incentive fee contracts

③ Fixed price with economic price adjustment contracts

④ Cost plus fixed fee contracts

55 조달관리 계획 수립(Plan procurement management) 프로세스의 도구 및 기법으로 직접 자체 개발할 것인지 아니면 기술과 경험이 풍부한 외주 업체에 의뢰할 것인지를 분석하는 것을 무엇이라고 하나?

① Source selection criteria

② Expert judgment

③ Selected seller

④ Make-or-buy analysis

56 당신은 조달 수행을 마치고 조달 통제 프로세스를 수행하고 있다. 다음 중 조달 통제를 위한 기준으로서의 투입물로 맞는 것은?

① 계약(Agreements).

② Make or buy decisions

③ 변경 요청들(Change requests).

④ 프로젝트 계획 갱신(Project management plan updates)

57 조달 통제와 프로젝트 종료의 차이점 설명 중 잘못된 것은 어떤 것인가?

① 둘의 공통점은 제품 검증, 행정적인 처리이다.

② 조달 통제의 초점은 계약의 수행 및 종료에 맞추졌지만, 프로젝트 종료는 전체 프로젝트 종료에 초점이 맞추어져 있다.

③ 조달 통제의 도구 및 기법은 전문가 판단이지만 프로젝트 종료의 도구 및 기법은 조달 감사(Procurement audit)이다.

④ 조달 통제의 산출물은 종결된 조달이지만 프로젝트 종료의 결과물은 Final Product, service or result transition 등이다.

58 조직은 전략적 목표와 일치되는 비즈니스 범위를 가진다. 어떤 관리가 관련 구성요소들의 종합성과의 조건들로 성공을 판단하는가?

① Project management

② Program management

③ Portfolio management

④ Scope management

59 통합 변경 통제 수행 프로세스의 도구 및 기법에 해당하지 않는 것은 다음 중 어느 것인가?

① 회의
② 분할
③ 대안 분석
④ 의사결정

60 프로젝트 또는 단계 종료 프로세스의 산출물은 다음 중 어느 것인가?

① 최종보고서
② 리스크 관리대장
③ 이슈 기록부
④ 비즈니스 케이스

61 회사가 투자를 해준 상당한 수준의 프로젝트가 50% 완성되었다. 이해관계자는 이것이 예산 초과 또는 일정 지연을 감당할 여유가 없는 프로젝트라는 것을 자주 언급했다. 어떤 종류의 정보가 이해 관계자에게 가장 가치가 있는가?

① 품질 감사 보고서
② 작업성과 보고서
③ 작업성과 데이터
④ 프로젝트팀 성과 평가치

62 타당성 검토와 관련하여 A 안을 선택할 시는 6억 원, B 안을 선택할 경우 10억 원이라는 수익이 발생한다고 하면 B를 택하고 A 안을 포기할 경우의 기회비용은 얼마인가?

① 4억 원
② 6억 원
③ 10억 원
④ 발생하지 않는다.

63 범위 정의 프로세스의 산출물은 다음 중 어느 것인가?

① 프로젝트 범위 기술서
② 범위 기준선
③ Work breakdown structure
④ 요구사항 문서

64 당신은 프로젝트 관리자이다. 이번 프로젝트 범위 확인의 마지막 단계에서 고객이 작업에 대한 범위 변경을 갑자기 요구하였다. 이때 당신은 프로젝트 관리자로서 어떻게 대처하겠는가?

① 범위를 즉시 변경한다.
② 변경을 즉시 거절한다.
③ 변경에 따르는 영향(Impact)을 고객에게 알린다.
④ 상위 관리자에게 보고한다.

65 프로젝트 범위 정의가 완료된 후 프로젝트는 점진적으로 구체화하면서 지속해서 변경 요청이 발생한다. 이런 경우 수많은 변경을 문서화된 변경 요청서로 관리할 시 다음의 어떤 경우에 요구되는가?

① 크고 복잡한 프로젝트만 적용한다.
② 모든 프로젝트에 적용한다.
③ 정식적인 변경 관리절차는 많은 관리 작업을 필요로 하므로 임의로 생략할 수 있다.
④ 비용이 발생되는 경우만 변경 관리를 하면 된다.

66 관리자와 팀원이 프로젝트 일을 시작하려고 한다. 이에 활동 식별을 위해 미리 만들어진 기준을 가지고 팀원과 같이 활동 작업을 식별하려고 한다. 이때 활동 식별의 기준으로 작업을 파악하는데 기준을 제공하는 것 중 제일 정확한 것은?

① 요구사항 문서
② Scope baseline
③ 프로젝트 범위 기술서
④ 프로젝트 헌장

67 프로젝트 관리계획(Project management plan)이 변경관리에 있어서 가장 중요한 것은 무슨 이유 때문인가?

① 프로젝트 관리계획은 전체 작업 및 작업성과에 대한 작업 데이터를 제공하기 때문에
② 프로젝트 관리계획은 변경관리에 대한 지침을 제공하기 때문에
③ 프로젝트 관리계획은 변경 이슈에 대해 정보를 제공하기 때문에
④ 프로젝트 관리계획은 기준 및 실적에 대한 차이 식별의 작업 데이터를 제공하기 때문에

68 범위 관리에 있어 WBS의 최저 단위인 작업 패키지(Work package)에 대한 설명으로 가장 적절한 것은?

① Control account보다 상위 요소
② WBS의 최저 단위
③ Define activity의 산출물
④ Rolling wave planning의 요소

69 WBS의 구성에 있어 프로젝트 범위 기술서로부터 WBS를 만들기 시작한다. WBS의 각각의 요소에는 고유한 식별자가 할당된다. 이미 조직에서 이런 부분을 사전에 준비하게 되는데, 이러한 각각의 식별자를 이것이라고 부른다. 여기서 이것은 무엇인가?

① The chart of accounts
② The code of accounts
③ Work packages
④ WBS ID numbers

70 프로젝트 또는 단계 종료 프로세스의 도구 및 기법에 해당하지 않는 것은 다음 중 어느 것인가?

① 회의
② 전문가 판단
③ 분할
④ 차이 분석

71 범위 정의가 시작되기 전에 완료해야 하는 프로세스는 무엇인가?

① 요구사항들 수집
② 범위 확인
③ WBS(Work breakdown structure) 만들기
④ 범위 통제

72 프로젝트의 Scope를 세분화(Decomposition)하는 데 있어서 프로젝트 관리자와 팀원이 수행해야 하는 일은?

① 프로젝트 범위 기술서를 상세 파악한다.
② WBS(Work breakdown structure)를 분해하기 위한 WBS 구조를 만들어 놓는다.
③ WBS(Work breakdown structure) 세분화를 위한 코드집을 확인하고 준비한다.
④ 위의 모든 일을 수행한다.

73 다음 중 범위 관리에서 WBS(Work breakdown structure)의 설명 중 맞지 않은 것은?

① 일정의 첫 단계인 활동을 식별하는 기준을 제공한다.

② 분할을 통해 좀 더 범위를 나누어 관리하면 원가와 일정을 신뢰 있게 산정하는 데 도움이 된다.

③ 일정 작성의 한 중요한 도구이다.

④ 프로젝트 전체 범위를 나타내기 때문에 매우 중요하다.

74 프로젝트팀을 구성함에 있어서 프로젝트 관리자는 무엇을 우선으로 검토하여야 하는가?

① 자원 분류 체계

② 작업 분류 구조(WBS)

③ 책임 할당 매트릭스

④ 조직도

75 당신은 프로젝트 관리자이다. 당신은 현재 범위를 감시 및 통제하고 있다. 범위 통제를 하기 위해 들어가야 하는 요소는 다음 중 어느 것인가?

① 책임 매트릭스

② 작업성과 데이터(Work performance data)

③ 조직도

④ Cause and effect diagram

76 당신은 프로젝트 관리자로 어느 날 실행 중인 프로젝트의 관리자로 임명되어 업무를 인계를 받게 되었다. 이때 프로젝트 문서 중에서 범위 변경 승인 권한을 가진 사람을 알게 해 주는 문서는?

① 조직도

② 자원 분류체계도

③ 변경 통제 계획서

④ 이해관계자 관리대장

77 당신은 새롭게 임명된 프로젝트 관리자이다. 프로젝트의 목표나 작업내용, 산출물, 그리고 최종 제품에 대한 인수조건들의 상세한 내용을 알고 싶다. 이때 가장 중요하게 파악해야 하는 문서는?

① 제품 기술서(Product description)

② 프로젝트 헌장

③ 작업 분류체계(WBS)

④ 프로젝트 범위 기술서(Project scope statement)

78 당신은 프로젝트 ABC의 PM이다. 고객과 함께 프로젝트 진행 관련 회의 도중에 인도물을 검토하다가 고객이 한 가지 요구사항이 빠져 있다고 주장할 때 당신이 고객과 같이 확인해야 할 문서는 무엇인가?

① 프로젝트 헌장 및 가정 사항 기록부

② 요구사항 문서 및 프로젝트 범위 기술서

③ 변경관리계획 및 형상관리계획

④ 요구사항 관리계획 및 범위 관리계획

79 고객의 요구사항을 지속해서 관리하여야 범위 확인 시 문제가 발생하지 않는다. 요구사항을 체계적으로 관리하기 위해 감시 및 통제를 위해 만들어지는 요구사항 수집 프로세스의 중요 산출물은 무엇인가?

① 요구사항 관리계획서(Requirement management plan)
② 프로젝트 범위기술서(Project scope statement)
③ 요구사항 추적 매트릭스(Requirement traceability matrix)
④ WBS(Work breakdown structure)

80 프로젝트 착수의 계약에 의해 수행되는 활동을 초기에 정의하는 데 가장 중요하게 사용되는 것은?

① 내부 Business case
② Scope creep
③ 조달 작업 기술서
④ 프로젝트 범위 기술서

81 원가통제 프로세스의 입력물이 아닌 것은 다음 중 어느 것인가?

① 원가관리계획서
② 원가 기준선
③ 프로젝트 자금 요구사항
④ 작업성과 정보

82 원가통제 프로세스의 도구 및 기법에 해당이 되지 않는 것은 다음 중 어느 것인가?

① 전문가 판단
② 완료 성과지수
③ 획득 가치 분석
④ 자금 한도 조정

83 활동 시간을 조정함으로써 활동의 기준시간 대비 자원에 대한 부하가 걸리지 않도록 활동 시간을 조정하는 것을 무엇이라고 하나?

① Resource leveling
② Lead and lag
③ Fast tracking
④ Crashing

84 일정 개발의 일정 단축 기법인 Fast-tracking의 설명으로 가장 타당한 것은?

① 프로젝트의 기간을 단축하기 위해 자원을 투입하여 주 공정 작업의 기간을 집중적으로 줄이는 것
② 활동 간의 연관 관계를 병행으로 재배치 함으로써 프로젝트의 기간을 줄이는 것
③ 유능한 자원들을 투입하여 일정을 단축하는 것
④ 자원을 평준화시켜 일정을 단축하는 방법

85 원가통제 프로세스의 산출물은 다음 중 어느 것인가?

① 작업성과 데이터
② 원가 예측치
③ 작업성과 보고서
④ 승인된 변경 요청

86 품질관리계획 수립 프로세스의 입력물이 아닌 것은 다음 중 어느 것인가?

① 프로젝트 헌장
② 범위 기준선
③ 요구사항 문서
④ 활동목록

87 요구사항 수집 프로세스의 산출물은 다음 중 어느 것인가?

① 프로젝트 범위 기술서
② 요구사항 추적 매트릭스
③ 활동 리스트
④ Work breakdown structure

88 당신은 프로젝트 관리자이다. 현재 프로젝트에는 많은 품질 문제 발생으로 변경 비용의 증가 및 고객의 인도가 지연되고 있다. 이런 경우 많은 문제 중에서 중요한 문제들을 먼저 해결하고자 한다. 이런 경우 어떤 기법을 사용하여 진행하여야 하는가? 즉 결함의 빈도수를 순위를 정리하고 큰 부분을 먼저 해결하고자 하는 것이다. 이때 사용되는 기법 중 효과적인 것은 무엇인가?

① Pareto diagrams
② Scatter diagram
③ Histogram
④ Control charts

89 당신은 XYZ 프로젝트를 수행하고 있는 팀원이다. 인도물에 대한 품질을 관리함에 있어 고객의 품질 요구사항 분석을 마무리하고 내부적인 회의를 하고 있다. 이때 회사 내부의 품질 정책을 준수하여야 한다고 조언하였다. 이에 당신은 공식적으로 누구로부터 품질 정책(Quality policy)에 대한 부분을 받아야 하는가?

① 프로젝트의 품질관리자
② 담당 부서장
③ 프로젝트팀원
④ 내부 컨설턴트

90 품질관리 활동에서 품질관리 프로세스는 실행 프로세스 그룹에 있으면서 품질과 관련하여 무슨 역할을 하는가?

① 품질 비용을 계획하고 준수 여부를 확인한다.
② 전체적인 품질 관련 프로세스 향상을 통한 품질시스템을 개선한다.
③ 품질 관련 프로세스를 수정하고 낭비적인 요소들을 찾아내어 개선하고 품질기준과 비교하여 시정조치하면서 작업성과정보를 만든다.
④ 프로젝트 관련 성과인 일정과 비용에 대한 부분을 기준선과 비교하고 차이가 발생하면 시정조치를 한다.

91 조달관리에서 조달 관리 계획서에 포함되지 않는 것은 무엇인가?

① 프로젝트에 적용될 계약 유형
② 자원 달력
③ 계획된 구매와 획득에 영향을 미치는 제약 사항과 가정들
④ 평가 기준으로서 독자적인 추정(견적)이 요구되는 경우 누가 언제 준비할 것인가?

92 제안서 작성 전에 잠재적 판매자들과 가지는 회의로 모든 잠재적 판매자들이 조달에 대해 분명하고 공통된 이해를 얻도록 보증하기 위해 조달 수행에서 사용되는 도구 및 기법은 무엇인가?

① 입찰자 회의(Bidder conference)
② 제안서 평가기법(Proposal evaluation techniques)
③ 광고(Advertising)
④ 조달 협상(Procurement negotiations)

93 프로젝트가 종료되었으며 프로젝트 관리자는 종료 프로세스를 수행하는 방법에 대해 알지 못한다. 일반적으로 종료 프로세스 추진을 해야 하는 부분은 사전에 어디에서 결정되었어야 했나?

① 품질 관리를 수행하는 동안
② 계획 프로세스 중
③ 범위 확인을 수행하는 동안
④ 조직 프로세스 자산 준비 중에

94 프로젝트 기간 중 프로젝트와 관련된 성공과 실패 등 발생한 문제들과 해결방법 등을 기록한 문서로 지식 기반 조직 프로세스의 한 형태인 이 문서는 무엇인가?

① Requirement traceability Matrix
② Lessons learned
③ Highlight report
④ Issue log

95 프로젝트 인도물이 수용되었고 모든 프로젝트 기록이 보관되었다. 당신은 프로젝트 관리자로서 프로젝트 종료 전에 작업을 통해 제품이 운영에 의해 관리가 되는지를 확인하여야 한다. 이런 부분에서 나타나는 것은 무엇을 의미하는 상황인가?

① 범위 관리
② 범위 확인
③ 제품의 배포
④ 소유자에게 이전

96 품질관리계획 수립 프로세스의 도구 및 기법에 해당이 되지 않는 것은 다음 중 어느 것인가?

① 검사
② 테스트 및 검사계획수립
③ 품질비용
④ 전문가 판단

97 품질관리계획 수립 프로세스의 산출물은 다음 중 어느 것인가?

① 품질 매트릭스
② 변경 요청
③ 작업성과 정보
④ 변경 기록부

98 품질관리 프로세스의 입력물이 아닌 것은 다음 중 어느 것인가?

① 품질관리계획서
② 품질 매트릭스
③ 인도물
④ 품질 통제 측정치

99 품질관리 프로세스의 도구 및 기법에 해당이 되지 않는 것은 다음 중 어느 것인가?

① 데이터 분석
② 의사결정
③ 감사
④ SWOT 분석

100 품질관리 프로세스의 산출물은 다음 중 어느 것인가?

① 품질보고서
② 품질 통제 측정치
③ 작업성과 정보
④ 작업성과 보고서

101 품질 통제 프로세스의 입력물이 아닌 것은 다음 중 어느 것인가?

① 품질관리계획서
② 품질 매트릭스
③ 인도물
④ 검증된 인도물

102 막대차트의 변형으로 프로젝트의 작업을 시간상에 표시하여 시작과 끝을 알 수 있게 만든 일정 관리기법의 도구이다. 시간은 가로축에, 작업은 세로축에 표시한 것으로 실제상황과 계획을 시각적으로 비교할 수 있다. 일정상의 진행과 지연 상황들을 파악할 수 있어서 통제와 관리에 효과적인 이것은 무엇인가?

① PERT(Program evaluation review technique)
② Milestone
③ Histogram
④ Gantt chart

103 작업의 시작이나 종료 또는 고객과의 약속 일정이나 중간 점검 등 전략적으로 중요한 이벤트나 일정 등을 뜻한다. 일반적으로 막대차트에다 삼각형으로 이정표를 표시하여 혼합된 차트를 사용하는 것이 보통이다. 주요 용도는 경영층이 현재 상황의 요약보고 시 많이 사용된다. 이것은 무엇인가?

① 3점 추정
② Histogram
③ Milestone
④ Gantt chart

104 부분별 원가 산정치들이 쓰이는 시점에 따라 합산 후 그래프로 표현되며 예산 결정 프로세스를 거쳐 정식으로 승인받은 프로젝트 예산을 무엇이라 부르는가?

① Funding requirements

② Management reserve

③ Contingency reserve

④ Cost baseline

105 원가 산정의 도구 및 기법으로 WBS를 이용하여 개별 작업 단위마다 비용을 산정하고 이를 합계하여 예산을 수립하는 방식이다. 개별 Work package 또는 활동의 원가를 먼저 산정한 후 상위 수준으로 올라가면서 합산하는 방식이다. '유사 산정'과 반대 개념으로 볼 수 있는 산정방식은 무엇일까?

① 하향식 산정(Top-down estimating)

② 상향식 산정(Bottom-up estimating)

③ 모수 산정(Parametric estimating)

④ 3점 추정(Three point estimating)

106 예산 결정의 도구 및 기법으로 프로젝트 자금을 집행할 때 자금 한도에 맞춰 지출을 조정하는 기법으로 부분별 원가산정치들이 쓰이는 시점에 따라 합산 후 그래프로 표현되는 것은 무엇인가?

① Management reserve

② Funding requirements

③ Funding limit reconciliation

④ Cost baseline

107 요구사항 수집 프로세스의 입력물이 아닌 것은 다음 중 어느 것인가?

① 프로젝트 헌장
② 비즈니스 케이스
③ 이슈 기록부
④ 협약

108 의존관계 결정(Dependency determination) 활동들 간의 연관성에서 과거의 Best practice같이 프로젝트팀에서 선호하는 임의의 연관 관계이며, Preferred logic, preferential logic, soft logic이라고도 부르는 것을 어떤 의존성이라 하는가?

① Mandatory dependencies
② Discretionary dependencies
③ External dependencies
④ Internal dependencies

109 변경 요청에 대한 부분을 프로젝트 관리계획과 작업성과정보를 바탕으로 변경 요청 내용을 꼼꼼하게 검토하여 승인 또는 거부를 하게 된다. 구성원은 회사 내에 주제 관련 전문가들이 모여 구성된다. 변경을 승인 또는 거부하는 회의 또는 모임을 무엇이라 부르는가?

① Focus group
② Change control board
③ SME(Subject matter experts) group
④ PMO

110 리스크 대응계획에서 위협을 완전히 제거하기 위해 프로젝트 관리 계획서를 변경하는 조치(일정 연장, 전략 변경 또는 범위 축소)하는 대응 전략은 무엇인가?

① 회피(Avoid) ② 완화(Mitigate)
③ 전가(Transfer) ④ 수용(Accept)

111 일정 흐름에서 후행 작업을 가속화하는 논리적 연관 관계를 나타내는 용어는 무엇인가?

① Lead ② Lag
③ Forward pass ④ Fast tracking

112 당신은 프로젝트 ABS의 관리자로 임명을 받고, 먼저 ABS 프로젝트의 일정을 수립하고자 한다. 프로젝트 관리자로서 프로젝트 일정은 누구에 의해 만들어지는 게 가장 바람직한가?

① 일정 SW 전문가 ② 프로젝트 관리자
③ 고객 ④ 프로젝트팀

113 프로젝트 네트워크에서 후속 작업의 이른 시간에 영향을 주지 않고 가질 수 있는 여유시간을 무엇이라고 하나?

① Slack ② Total float
③ Free float ④ Float

114 다음 프로젝트 주 공정 경로는 어느 것인가?

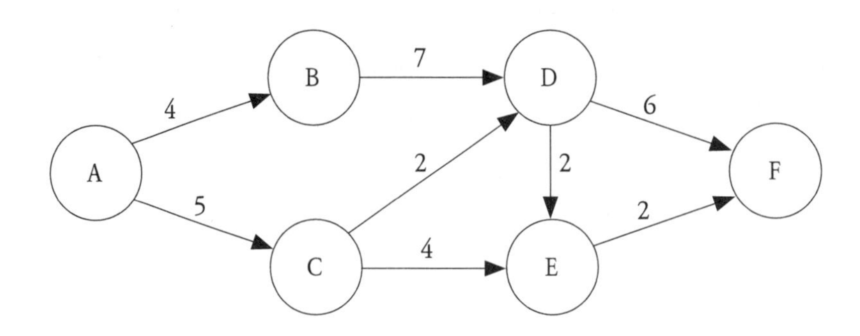

① A-B-D-F
② A-B-D-E-F
③ A-C-E-F
④ A-C-D-E-F

115 프로젝트 작업지시 및 관리 프로세스의 입력물이 아닌 것은 다음 중 어느 것인가?

① 프로젝트 관리계획서
② 변경사항 기록부
③ 승인된 변경 요청
④ 품질보고서

116 프로젝트 작업 감시 및 통제 프로세스의 산출물은 다음 중 어느 것인가?

① 작업성과 정보
② 작업성과보고서
③ 작업성과 데이터
④ 변경 기록부

117 프로젝트 작업지시 및 관리 프로세스의 도구 및 기법에 해당이 되지 않는 것은 다음 중 어느 것인가?

① 제품 분석 ② 회의
③ 전문가 판단 ④ 프로젝트 관리 정보 시스템

118 프로젝트 작업지시 및 관리 프로세스의 산출물이 아닌 것은 다음 중 어느 것인가?

① 인도물 ② 작업성과 데이터
③ 작업성과 정보 ④ 변경 요청

119 프로젝트 작업 감시 및 통제 프로세스의 도구 및 기법이 아닌 것은 다음 중 어느 것인가?

① 전문가 판단 ② 대안 분석
③ 의사결정 ④ 가정 사항 분석

120 프로젝트 지식관리 프로세스의 산출물은 다음 중 어느 것인가?

① 교훈 관리대장 ② 리스크 관리대장
③ 인도물 ④ 이슈 기록부

121 WBS(Work breakdown structure) 작성 프로세스의 도구 및 기법은 다음 중 어느 것인가?

① 감사
② 분할
③ 검사
④ 그룹 결정 기법

122 Scatter diagram(산점도)은 몇 가지 요소를 가지고 품질에 대한 영향성 및 연관 관계를 분석하는가?

① 2개
② 3개
③ 4개
④ 별도 제한 없음

123 원가산정 프로세스의 입력물이 아닌 것은 다음 중 어느 것인가?

① 원가관리계획서
② 범위 기준선
③ 품질보고서
④ 리스크 관리대장

124 다음 중 프로젝트의 계획과 관련하여 특징을 대표적으로 잘 나타낸 표현은 무엇인가?

① WBS(Work breakdown structure)
② Progressive elaboration.
③ Risk management
④ Gold plating

125 당신은 프로젝트 관리자이다. 프로젝트를 관리할 때 어떤 문제가 발생하면 해결하는 가장 좋은 순서는 다음 중 어느 것인가?

① 팀원과 협의 후 관리자와 자원 관리자에 알린다.

② 관리하는 자원들로 문제를 해결하고 자원 관리자와 고객에게 알린다.

③ 스스로 해결한 다음 관리자 및 고객에게 알린다.

④ 자원 관리자에 통보 후 관리자와 고객에게 알린다.

126 프로젝트에 모든 이해관계자를 참여시키는 목적은 프로젝트의 어느 부분 때문인가?

① 프로젝트 일정, 산출물, 그리고 요구 사항을 결정한다.

② 프로젝트 제약사항과 제품 산출물을 결정하는 데 도움이 된다.

③ 프로젝트에 대한 자원 요구와 자원 제약을 결정한다.

④ 가정 사항, WBS(Work breakdown structure) 및 관리 계획을 제공하는 데 도움이 된다.

127 프로젝트를 성공적으로 수행하려면 팀원이 자신의 역할을 이해하고 있어야 한다. 이것을 이해하기 위해서 가장 좋은 방법은 다음 중 어느 문서와 관련이 있는가?

① 범위 기준서

② 원가 기준서

③ 프로젝트 헌장

④ 책임 할당 매트릭스

128 원가산정 프로세스의 도구 및 기법에 해당하지 않는 것은 다음 중 어느 것인가?

① 모수 산정 ② 상향식 산정
③ 투표 ④ 원가 합산

129 한 팀이 제품을 만들고 있는데 프로젝트 헌장을 작성하는 데 어려움을 겪고 있다. 왜 이런 문제가 발생하였는가를 잘 설명한 것은 다음 중 어느 것인가?

① 그들은 프로젝트 목표를 식별하지 못하고 있다.
② 그들은 프로젝트가 아닌 프로세스에 일하고 있다.
③ 데드라인이 정해져 있지 않다.
④ 그들은 프로젝트의 제품을 식별하지 못했다.

130 자원관리계획 수립 프로세스의 산출물은 다음 중 어느 것인가?

① 팀 헌장 ② 기본 규칙
③ 자원 달력 ④ 프로젝트 팀 배정표

131 활동자원 산정 프로세스의 입력물이 아닌 것은 다음 중 어느 것인가?

① 범위 기준선 ② 활동 속성
③ 자원 달력 ④ 품질 보고서

132 활동자원 산정 프로세스의 도구 및 기법에 해당이 되지 않는 것은 다음 중 어느 것인가?

① 상향식 산정
② 전문가 판단
③ 벤치마킹
④ 데이터 분석

133 당신은 스폰서와의 회의 후, 대구 스마트 시티 프로젝트의 통신 대역폭을 개선하는 프로젝트의 프로젝트 관리자가 되기로 합의했다. 프로젝트가 시작되었고 잘 진행되지 않았으며 목표와 성공 기준에 대해 혼란이 있었다. 그렇다면 당신은 취하여야 할 다음 조치는 어느 것인가?

① 범위 기준선을 설정하기 위한 킥오프 회의 실시
② WBS 개발을 위한 킥오프 팀을 개최한다.
③ 프로젝트 헌장을 검토한다.
④ 프로젝트팀원을 식별한다.

134 프로젝트 관리자는 프로젝트에서 많은 기능을 수행한다. 다음 중 일반적으로 프로젝트 관리자로서 역할에 포함되지 않는 활동은 무엇인가?

① 프로젝트 회의를 위한 의제를 준비한다.
② 이해관계자 간 갈등 해결방법을 결정한다.
③ 적절한 사람들이 프로젝트 회의에 참석하도록 보장한다.
④ 팀원에게 작업 완료 방법에 대한 단계별 지침을 제공한다.

135 프로젝트팀이 초기 개략적인 프로젝트 일정과 예산을 완료했다. 다음으로 할 일은 무엇인가? 가장 바람직한 것은?

① 리스크를 식별한다.

② 이해관계자들을 식별한다.

③ 일정 관리계획을 만든다.

④ 조달 관리계획을 만든다.

136 당신은 프로젝트 관리자로 프로젝트 일정을 완성하려고 한다. 다음 중에서 상세한 프로젝트 일정은 무엇이 완료되어야 만들어질 수 있는가?

① 프로젝트 예산

② WBS(Work breakdown structure)

③ 프로젝트 관리 계획

④ 리스크 관리 계획

137 활동자원 산정 프로세스의 산출물이 아닌 것은 다음 중 어느 것인가?

① 자원 요구사항

② 산정 기준서

③ 자원 분류체계

④ 자원 달력

138 당신은 프로젝트 관리자로서 팀원들과 함께 모든 프로젝트에서 얻은 경험과 지식을 지식 데이터베이스에 업데이트해야 한다. 이 활동을 수행하기에 적절한 시기는 다음 중 언제인가?

① 각 주요 마일스톤이 종료된 후
② 최종 유효성 검사 프로세스 동안
③ 프로젝트 착수 시점에
④ 적절한 기회에 프로젝트 전반에 걸쳐

139 활동 기간 산정 프로세스의 도구 및 기법 중 과거 유사정보를 바탕으로 기간을 산정하는 기법은 다음 중 어느 것인가?

① 모수산정
② 삼정추정
③ 유사산정
④ 상향식 산정

140 일정 개발 프로세스의 도구 및 기법에 해당이 되지 않는 것은 다음 중 어느 것인가?

① 주 공정법
② 선도 및 지연
③ 일정 단축
④ 의존관계

141 일정 개발 프로세스에서 주 공정의 Float의 합은 얼마인가?

① 0
② 1
③ 2
④ 3

142 자원 확보 프로세스의 입력물이 아닌 것은 다음 중 어느 것인가?

① 프로젝트 일정
② 자원 달력
③ 자원 요구사항
④ 이슈 기록부

143 다음 중 프로젝트 또는 단계의 종료에 대한 내용이다. 다음 문장 중 어느 것이 맞는 않는 내용을 포함하고 있는가?

① 최종 보고서는 프로세스의 결과 중 하나이다.
② 결과물의 공식 수용은 프로세스 일부여야 한다.
③ 프로젝트가 공식적으로 종료될 때까지 팀을 해체해서는 안 된다.
④ 이 프로세스가 완료되면 프로젝트 관리자는 배운 교훈을 문서화해야 한다.

144 자원 확보 프로세스의 도구 및 기법에 해당이 되지 않는 것은 다음 중 어느 것인가?

① 의사결정
② 사전배정
③ 전문가 판단
④ 팀 개발

145 프로젝트에서의 의사소통을 위한 주요 원동력으로 필요한 것은 어느 부분인가?

① 통합관리
② 원가관리
③ 일정관리
④ 자원관리

146 프로젝트 착수단계에서 이해 관계자와의 회의에서 프로젝트 스폰서는 이 프로젝트가 회사의 현재 기술 및 기존 인적 자원을 사용할 것이며 예산은 50만 달러를 넘지 않아야 함을 분명히 한다. 스폰서가 설명하는 문서는 무엇인가?

① 프로젝트 헌장
② 이해 관계자 참여 계획
③ 프로젝트 자금 요구사항
④ 요구사항 추적 매트릭스

147 변경이 발생할 때 프로젝트 관리자는 변경에 대해 무엇을 가장 우선적으로 중점을 두어야 하는가?

① 비공식적인 변경을 예방하고 공식적 변경 절차를 따르게 하여 일관성을 유지한다.
② 변경내용을 이해관계자에게 공식적으로 통보한다.
③ 늘 변경을 추적하고 기록한다.
④ 변경을 승인하고 변경 승인 내용이 실행에서 수행되도록 한다.

148 프로젝트는 프로젝트 헌장의 변경 때문에 늘 문제가 된다. 변경과 관련하여 누가 변경이 필요할지를 결정하는가?

① 프로젝트 관리자
② 스폰서
③ 프로젝트팀
④ Change control board

149 자원 확보 프로세스의 산출물이 아닌 것은 다음 중 어느 것인가?

① 실물자원 배정표

② 프로젝트팀 배정표

③ 자원 달력

④ 팀 성과 측정치

150 팀 개발 프로세스의 입력물이 아닌 것은 다음 중 어느 것인가?

① 자원관리계획서

② 자원 달력

③ 팀 헌장

④ 원가 기준선

4회 정답 및 해설

1	2	3	4	5	6	7	8	9	10
②	②	①	①	②	②	②	③	①	④
11	12	13	14	15	16	17	18	19	20
③	③	③	①	①	②	①	①	②	③
21	22	23	24	25	26	27	28	29	30
①	②	④	②	①	③	④	③	④	②
31	32	33	34	35	36	37	38	39	40
②	②	①	③	④	①	④	①	②	①
41	42	43	44	45	46	47	48	49	50
③	④	①	②	④	④	①	③	③	①
51	52	53	54	55	56	57	58	59	60
③	③	③	④	④	①	③	③	②	①
61	62	63	64	65	66	67	68	69	70
②	②	①	③	②	②	②	②	②	③
71	72	73	74	75	76	77	78	79	80
①	④	③	②	②	③	④	②	③	③
81	82	83	84	85	86	87	88	89	90
④	④	①	②	②	④	②	①	①	②
91	92	93	94	95	96	97	98	99	100
②	①	②	②	④	①	①	③	④	①
101	102	103	104	105	106	107	108	109	110
④	④	③	④	②	③	③	②	②	①
111	112	113	114	115	116	117	118	119	120
①	④	③	①	④	②	①	③	④	①
121	122	123	124	125	126	127	128	129	130
②	①	③	③	②	②	④	④	②	①
131	132	133	134	135	136	137	138	139	140
④	③	③	④	②	②	④	④	③	④
141	142	143	144	145	146	147	148	149	150
①	④	④	③	①	①	①	②	④	④

01 정답 ②

모든 프로젝트 종결 시에는 범위 확인을 통한 고객/스폰서의 공식적인 승인이 중요하다.
왜냐하면 고객의 요구사항이 범위 확인이라는 프로세스를 걸쳐 공식적인 서면 승인을 통해서 검증되어야 프로젝트가 완료되었다고 할 수 있기 때문이다.

02 정답 ②

불확실성에 대비하는 방법론이 애자일(Agile)이다. 애자일은 적응형 생애주기라고 부르며 반복적과 점증적인 특징을 다 포함하고 있다.

03 정답 ①

프로젝트 종료 시에는 고객에게 최종보고서 제출 → 프로젝트 성공 기준에 대한 평가 → 교훈 사항 정리 → 프로젝트 관련 계획 및 문서들을 조직 프로세스 자산에 보관 → 팀원의 해체에 따른 재배치 문제이다. 따라서 가장 마지막 하는 일은 팀 구성원의 해산 및 재배치이다.

04 정답 ①

조직이 프로젝트 모델을 선택하는 데 있어서 고려해야 하는 분야는 유동성(Flexibility), 실현 가능성, 사용 편리성(Ease to use), 비용(Cost) 등이다. 가장 주의 깊게 고려해야 하는 것은 원하는 성능의 실현 가능성이다.

05 정답 ②

프로젝트 종료 단계에서 발생할 수 있는 갈등의 주된 원인은 일정이다. 가장 일반적인 갈등의 원인은 일정, 프로젝트 우선순위, 자원 등이 있다. 프로젝트가 종료 단계로 갈수록 일정의 완수가 가장 중요하기 때문이다.

06 정답 ②

07 정답 ②

프로젝트 헌장(Project charter)은 재정적 책임을 지는 스폰서 또는 PMO 등에 의해 승인되어야 한다.

08 정답 ③

일반적으로 프로젝트에 자원을 추가하면 범위에 관련된 일을 하게 되므로 일정이 단축된다.
일정 단축 기법으로 Crashing은 대표적으로 지원을 투입해 일정을 단축하는 기법이다.

09 정답 ①

변경통제위원회(CCB)는 변경 요청을 심의하여 승인 또는 거부할 수 있는 역량을 가진 주제 관련 조직 내 또는 외부 이해관계자(Stakeholders)들로 구성된다.

10 정답 ④

변경 요청 시 통합 변경 통제를 통해 정식적인 변경 절차를 수립하고 변경내용의 문서화 및 추적 시스템, 버전 관리 등의 철저한 유지관리를 위해서다.

11 정답 ③

품질 통제 프로세스가 품질 표준의 정확성에 초점이 맞추어졌지만, 범위 확인의 고객 인수 여부에 초점이 맞추어져 있어 초기에 요구한 요구사항 문서 및 요구사항 추적 매트릭스를 꼼꼼히 살펴 검증하게 된다.

12 정답 ③

델파이기법은 숙련된 Facilitator가 전문가들에게 의견을 보내고 수집하고 몇 번의 반복적인 과정을 거쳐 요구사항을 수집하는 것으로 전문가들끼리는 서로 누군지 모르게 하는 것으로 전문가들 사이의 편견을 없애는 기법이다. PMBOK 6판부터 요구사항 기법 및 리스크 식별 프로세스의 기법에 삭제가 되었으나 정보수집 기법으로 포함될 수 있으니 참조하여야 한다. 시험에는 출제가 될 수 있다.

13 정답 ③

제일 먼저 이해관계자로부터 요구사항 등을 수집해야 한다. 수집이 완료되면 요구사항 문서가 나온다.

14 정답 ①

WBS는 분류체계에 의한 목록이지만 WBS 사전(Dictionary)은 속성, 즉 프로젝트 수행에 관한 자세한 정보가 담겨있다.

15 정답 ①

통제 계정은 유사한 Work package를 모아서 상위 수준의 시점에서 조직으로 회계와 연계 코드 등을 통해 비용 및 일정을 효과적으로 통제하는 데 목적이 있다.

16 정답 ②

일반적으로 WBS는 Scope baseline에, 또한 scope baseline은 Project management plan에 포함되어 투입되므로 입력물의 내용을 잘 살펴보아야 한다. 리스크 대응계획은 Scope baseline을 직접 입력물로 받지 아니하고, Risk management plan과 Risk register가 입력물이다.

17 정답 ①

작업 실행의 산출물은 당연히 작업 실행을 하였으나 인도물(산출물)이 나와야겠고, 그 인도물이 나올 때 소요된 작업성과정보(비용/일정/품질/기타 리스크 등)가 나온다. 또한 작업 실행 중 문제가 생기는 부분은 즉시 변경 요청을 해서 개선하여야 한다.

18 정답 ①

프로젝트 예산 및 일정에 대한 정확성을 높이기 위하여 분할하여 작성하는 것이 WBS(Work breakdown structure)이다. Scope(=Work)를 쪼개다 보면 일정과 비용을 신뢰성 있게 산출할 수 있는 수준(Work package)까지 되는데 이렇게 전부 범위를 나누어서 작성된 것을 WBS라고 한다.

19 정답 ②

WBS의 최하위 단위는 WP(Work package)라고 부른다. Work package는 WBS의 각 분기 최하위 수준으로, 시간과 비용을 신뢰성 있게 분할한 최저 수준의 프로젝트 작업 요소 또는 인도물이다.

20 정답 ③

Critical chain method는 자원제약을 고려하고 작업 시간에 작업자들의 속성을 감안하여 Buffer(여유)를 감안하여 만든 것이다. PMBOK 6판에서는 Critical chain method가 빠져 있으나 5판까지 등장이 되었으므로 참조로 알아 두어야 한다.

21 정답 ①

마일스톤은 전체일정 중에서 중간중간 중요한 시점을 의미하며 주로 경영층에 보고 시 유리하게 사용된다.

22 정답 ②

지연(Lag)은 당연히 해야 하는 것이다. 작업 중 다음 공정을 기다려야 되는 것들이 있다. 예) 콘크리트 작업 후 일정 시간이 지난 후에야 바닥 작업이 가능한 것처럼 말이다.

23 정답 ④

24 정답 ②

일반적으로 자원 평준화는 일정이 초기 계획보다 길어진다.

25 정답 ①

PERT는 3점 추정을 이용하여 불확실한 일정계획을 개선하려고 만들어진 분석기법이다.
PERT도 PMBOK 6판에서 기간 산정 부분에서 빠져 있으나 반드시 알아두어야 한다.

26 정답 ③

ADM(Arrow diagramming method)은 활동 내용이 화살표 위에 있고 흐름(순서)이 노드(원형)에 위치하면서 연관 관계가 FS만 표시되기 때문에 AOA(Activity on arrow)라고도 한다. 같은 용어이다.

27 정답 ④

28 정답 ③

PDM은 활동의 연계를 화살표를 사용하고 ADM은 노드를 사용한다.

29 정답 ④

PERT는 GERT보다는 통제 도구로서 사용이 쉽다. PERT는 노드(Node) 구현에 유연성이 없고, 호(arc)들은 시간만 표시하기 때문에 순환을 허용하는 복잡한 GERT보다는 통제 도구 사용이 쉽다.

30 정답 ②

31 정답 ②

프로젝트 헌장에서 개략적인 요구사항을 통해 프로젝트 생애주기 접근방법 및 핵심 이해관계자가 언급된다.

32 정답 ②

CPI 1.12은 비용절감이다. 획득 가치가 실제 사용 비용보다 크다는 의미이다. SPI= 0.91는 획득 가치가 계획비용보다 작으므로 일정 지연된다.

33 정답 ①

품질 통제 프로세스의 산출물인 품질 통제 측정치(Quality control measurements)는 문서화되어서 품질관리 프로세스의 입력물로 사용된다. 이 과정에서 측정치들은 품질 표준 및 조직의 프로세스를 평가하고 분석하는 데 사용된다.

34 정답 ③

품질관리계획은 프로젝트의 효율성 및 능률을 증대시키고 프로젝트 이해관계자에게 부가적인 편익을 제공한다. 프로젝트 관리 서비스의 품질을 개선하는 것은 프로젝트 관리자의 전문가 책임의 주요 측면에 해당한다.

35 정답 ④

36 정답 ①

Ishigawa diagram, Fishbone diagram 또는 Cause and effect diagram이라고 하는 원인 및 결과 또는 품질의 결과에 대한 원인 분석을 위해 주로 사용된다.

37 정답 ④

38 정답 ①

기획 수립 단계에서 프로젝트 관리자의 리더십 유형은 방향 설정을 하는 지시적 리더십이 효과적이다.

39 정답 ②

민주적 관리 스타일은 그룹 구성원들의 적극적인 참여를 유도하여 창의적인 해결책을 개발하는데 적합한 방식이다. 민주적 관리 유형을 적용할 때는 창의적인 목소리를 무시할 수 있는 다수의 폭군을 주의해야 한다. 이러한 스타일은 신속한 조치가 필요한 긴급 상황에서는 효과적이지 못할 수도 있다.

40 정답 ①

프로젝트팀을 개발시키는 방법은 Teamwork지만, 궁극적 목표 및 결과는 개인 및 팀의 성과를 높이는 것이다. 성과 개선은 프로젝트 목표를 충족할 가능성을 높일 뿐만 아니라, 프로젝트팀의 역량을 높이는 데도 도움이 된다.

41 정답 ③

42 정답 ④

Problem solving은 직접 문제 해결을 위해 문제를 당사자들과 함께 정의하고 정보를 모으며 대안을 분석하고 개발하며, 가장 적절한 대안을 선택하여 직접 갈등의 문제 해결에 목적을 두는 것이다. 시간이 오래 걸리는 단점이 있지만 갈등 해결 방법 중 가장 좋은 방법으로 권장한다. Win-win 전략이라고도 부른다.

43 정답 ①

44 정답 ②

예를 들어 팀원이 총 6명일 경우 의사소통 채널 수는 6(6-1)/2= 30/2= 15개이다.

45 정답 ④

46 정답 ④

47 정답 ①

48 정답 ③

양식 준비는 리스크 관리계획 수행에서 하고 실제 사용은 정성적 리스크 분석수행에서 사용한다.

49 정답 ③

Workaround는 계획되지 않은 Risk가 발생할 때, 즉시 대응이 개발되고 수행되어야 하는데 이것을 Workaround라고 한다. 해결책이 Risk 사건 발생하기 전에 미리 계획하는 것이 아닌 점에서 우발사태 계획(Contingency plan)과 다르다. -The response to an unplanned risk event이다.

PMBOK 6판 용어집에는 빠져 있으나 실제 출제가 되므로 알아두어야 한다.

50 정답 ①

Mitigate(완화)는 리스크 대응기법 중 부정적 리스크에 대한 대응 방법이다.

51 정답 ③

①, ② 그리고 ④번은 리스크 식별 시 사용하는 기법이다. 정량적 리스크 도구 및 기법은 몬테카를로(Monte carlo simulation) 시뮬레이션 외에도 민감도 분석(Sensitivity diagram), 금전적 기댓값 분석(Expected monetary value), 의사결정 나무 분석(Decision tree analysis) 등이 있다.

52 정답 ③

공유는 긍정적 리스크 혹은 기회에 대한 전략이다.

53 정답 ③

프로젝트의 범위 기준선, 일정 기준선, 원가 기준선은 리스크 영향에 대한 기준 비교의 출발점이다.

54 정답 ④

고정 계약보다는 원가를 정산받는 계약이 판매자에게 유리하다.

55 정답 ④

자체 기술이 부족하거나, 리스크가 크거나, 자체적으로 하는 것이 외주를 주어서 하는 것보다 비용이 많이 들 때 Make-or-buy analysis를 하게 되며 그 결과로 Make or buy decisions가 산출된다.

56 정답①

계약은 조달 통제에서 기준이 된다. 실적은 작업성과 데이터이다. ③, ④는 전부 조달 통제 프로세스의 산출물이다.

57 정답 ③

조달 통제의 도구 및 기법은 감사(Audit)인 반면 프로젝트 종료의 도구 및 기법은 통합관리 영역이므로 개략적이기 때문에 전문가 판단이다.

58 정답 ③

Portfolio management는 포트폴리오 관리자에 의해 수행되며 조직의 전략 목표와 일치시키면서 프로젝트의 우선순위를 정하는 등 전체적으로 전략을 바탕에 두고 관리한다.

59 정답 ②

60 정답 ①

61 정답 ②

작업성과 보고서는 작업성과정보를 통해 현재 현황을 평가하고, 획득 가치 기법의 요소인 일정 및 원가의 예측치를 입력물로 받아서 작성되기 때문에 프로젝트의 미래예측도 가능하다.

62 정답 ②

기회원가(Opportunity Cost)는 한 대안 선택 시 다른 대안을 포기함으로써 상실한 이익이라고 볼 수 있다. 예를 들면 A 안을 택할 시는 6억 원, B 안을 택할 경우 10억 원이라는 수익이 발생한다고 하면 B 안을 택하고 A 안을 포기할 경우의 기회비용은 6억 원이다.

63 정답 ①

64 정답 ③

프로젝트가 범위 확인의 완료 단계이지만 아직 완전 완료가 아니 되었다. 따라서 고객이 작업에 대한 범위 변경을 요구하였다면 프로젝트 관리자는 변경에 따르는 영향(Impact)을 먼저 고객에게 알려야 한다. 그런데도 고객이 변경 요청을 할 경우 정식 변경 절차를 따르도록 한다.

65 정답 ②

문서화된 변경 요청서는 모든 프로젝트에 적용하여야 한다. 변경관리는 형상 관리 절차와 같이 관리 유지되어야 한다.

66 정답 ②

일정 관리의 계획 다음에 전개되는 활동정의 투입물인 Scope baseline은 WBS와 WBS 사전을 포함한다. WBS는 total scope이며, 가장 낮은 단계인 Work package는 활동의 대상이다.
활동 정의 프로세스는 Work package를 받아서 활동목록과 활동 속성, 마일스톤 목록을 만들어 낸다.

67 정답 ②

프로젝트 관리계획(Project management plan)은 실행 및 감시 및 통제와 종료에 대한 가이드를 제공한다. 변경관리 역시 프로젝트 관리계획은 변경 사항을 어떻게 관리할 것인지 기준을 제공하기 때문이다.

68 정답 ②

WBS(Work breakdown structure)의 최저 단계를 작업패키지라고 한다. Control account는 Work package의 모음으로 통제가 쉬운 임의의 단위로 보면 된다. Rolling wave planning은 계획과 실행의 반복으로 인한 점진적 구체화 의미로 프로젝트의 특성을 나타낸다. Define activity의 산출물은 Activity List와 Activity attributes와 Milestone list이다.

69 정답 ②

Code of accounts는 WBS를 표기하는 기호로 코드집으로 보면 된다. WBS 항목(Item)의 유일한 식별자(Identifier)이다. 이미 조직 프로세스 자산으로 만들어져 있는 경우가 일반적이다.

70 정답 ③

71 정답 ①

범위 관리의 프로세스는 다음과 같다.
범위관리계획 → 요구사항 수집 → 범위 정의(Define scope) → WBS 작성 → 범위 확인(Validate scope) → 범위 통제(Control scope)

72 정답 ④

WBS(Work breakdown structure)은 전체 범위로서 일정과 비용을 신뢰성 있게 산출하기 위해 범위 정의의 결과인 프로젝트 범위기술부터 상세 내용을 파악하여 미리 준비한 WBS Frame에 의거 아래로 분할을 실시한다. 이때 코드를 부여하여 혼선이 없도록 하여야 한다. 분할이 완료되면 다시 Bottom up으로 검토하여 제대로 분할이 되었는지 검증하여야 한다.

73 정답 ③

작업 분류체계(WBS: Work breakdown structure)는 프로젝트의 범위 전체를 구성하고 정의하는 프로젝트 요소들을 인도물 위주의 그룹으로 분류하는 것이다. 작업 분류체계에 명시되지 않은 작업은 프로젝트 범위 밖의 일이다.

74 정답 ②

프로젝트 인원 구성 요구사항을 결정하기 위해서는 프로젝트 관리자는 먼저 WBS(Work breakdown structure)를 검토하여야 한다. WBS는 Total scope이므로 어느 정도의 범위와 어떤 인도물을 생성해야 하는지 파악할 수 있다. WBS(Work breakdown structure) 내용에 맞게 인력이 투입되어야 한다.

75 정답 ②

범위통제의 투입물은 프로젝트 관리계획서, 작업성과 데이터, 요구사항 문서, 요구사항 추적 매트릭스, 조직 프로세스 자산이다. 작업성과 데이터는 완성, 또는 완성되지 않은 중간 인도물 등과 같이 범위 성과에 대한 실적의 Raw data를 제공한다. 기준은 범위 기준선이다.

76 정답 ③

범위변경 승인 권한은 변경 통제계획에 내용이 포함된다. 변경승인에는 제안된 변경사항에 대한 거부 또는 승인의 책임 내용이 들어있다. 변경승인에 대한 역할 및 책임 사항은 변경통제 시스템에 분명히 정의되며 사전에 이미 이해관계자들에 의하여 합의된다.

77 정답 ④

프로젝트 범위 기술서는 범위 정의의 산출물로써 프로젝트의 당위성, 프로젝트의 제품, 프로젝트 인도물, 프로젝트 목표, 인수조건, 배제사항, 가정 및 제약사항 등이 포함된 문서이다.

78 정답 ②

프로젝트 범위 관리에서 요구 문서 및 프로젝트 범위 기술서는 고객과의 중요한 의사소통의 기준이 되며, 이를 토대로 요구사항 문서 및 프로젝트 범위 기술서를 토대로 범위에서 빠진 부분이 있는지 확인해야 한다.

79 정답 ③

요구사항은 지속해서 관리되어야 한다. 또한 요구사항은 수시로 변경되기도 한다. 요구사항 추적 매트릭스는 지속해서 이러한 부분을 관리하게 하는 중요한 문서로 범위 확인 및 범위 통제로 입력물이 된다.

80 정답 ③

조달관리에 있어 조달작업 기술서(Contract SOW: Statement of Work)는 조달 항목을 상세하게 설명하여 Seller들이 설명된 항목을 공급할 수 있는지 검토하여 결정할 수 있도록 해주는 문서이다.

81 정답 ④

82 정답 ④

83 정답 ①

Resource leveling(자원 평준화)은 활동 시간의 시기를 조정함으로써 자원에 대한 부하가 걸리지 않도록 하는 것을 의미한다. 자원 평준화로 인해 일정이 지연될 수도 있는 단점이 있다.

84 정답 ②

Fast tracking은 보통 순차적으로 진행될 활동을 병행으로 진행해 일정을 단축시키는 기법이다.

85 정답 ②

86 정답 ④

87 정답 ②

88 정답 ①

품질 통제에서 사용되는 파레토 다이어그램은 품질 문제의 발생 빈도를 순서대로 보여주는 도수 분포도로서, 명시된 유형과 범주에 의하여 얼마나 많은 결과가 발생하였는가를 보여준다. 파레토 법칙은 상대적으로 적은 수의 원인이 문제 또는 결점의 대부분을 초래한다는 것이다.

PMBOK 6판에서는 파레토 법칙이 언급이 안 되고 있으나 중요하니 이해하여야 한다.

89 정답 ①

품질 정책(방침)은 일반적으로 품질관리팀에서 수립되지만, 각각의 프로젝트의 품질담당자(혹은 품질관리팀)가 프로젝트 품질 정책을 고객 혹은 팀원에게 정확히 이해시켜야 한다.

90 정답 ②

품질 비용은 품질계획에서 준비한다. 품질보증 수행은 품질시스템 내부에서 시행되는 모든 계획적이고 체계적인 활동으로 주로 프로세스 준수 및 절차의 효율성 등을 점검하고 필요시 개선요청을 하여 품질과 관련된 프로세스 향상을 통해 품질을 개선한다. ③번에서 작업성과정보는 감시 및 통제 프로세스의 산출물이다.

91 정답 ②

자원 달력은 조달 수행의 산출물이다. 조달관리계획서에는 조직에 조달 담당 부서가 있는 경우, 프로젝트 관리팀과의 역할 및 책임의 분담과 일정 및 성과 보고 등과 같은 프로젝트의 기타 분야와 조달을 어떻게 조정할 것인가에 대한 방법과 각 계약에 따른 산출물에 대하여 일정을 확정하고, 일정 개발 및 통제 방법 등 조달 수행과 조달 통제의 지침을 포함하고 있다.

92 정답 ①

입찰자 회의(Bidder conference) 협상은 다른 용어로 Contractor conferences, Vendor conferences, Pre-bid conferences라고 불리며 제안의 설명회 성격이 강하다. 업체의 의견을 반영하여 추후 합리적인 제안서 발송에 반영함에 목적이 있다.

93 정답 ②

가이드 및 절차는 기획 프로세스의 프로젝트 관리계획에 들어가 있다.

94 정답 ②

Lessons Learned는 historical information의 한 부분으로 현재 프로젝트의 유용성보다는 미래 프로젝트에서 프로젝트 관리자가 참조하여 리스크를 줄여 실패하지 않도록 하는 데 목적이 있다. 이 문서는 프로젝트 경험을 바탕으로 만들어지기 때문에 아주 귀중한 조직의 Know-how로 볼 수 있어 기밀 유지가 필요하다.

95 정답 ④

내용을 보면 다음 단계로 이전을 하는 상황이다, 종료 시에는 제품, 결과, 서비스를 고객 또는 인수자에게 이전하는 것을 최종적인 목표로 하고 있다.

96 정답 ①

97 정답 ①

98 정답 ③

99 정답 ④

100 정답 ①

101 정답 ④

102 정답 ④

원래 간트차트(Gantt chart)는 작업의 연관 관계(순서)를 파악할 수 없는 게 단점이었으나 요즘에는 순서를 연결하여 단점을 보완하고 있다.

103 정답 ③

마일스톤 리스트(Milestone list)는 간트차트에서 중요한 일정만을 표시하기 때문에 경영층에게 보고 시 많이 사용한다.

104 정답 ④

범위에도 범위 기준선이 있고 일정에서 일정 기준선이 있듯이 원가도 승인받은 것을 원가기준선(Cost baseline)이라고 한다. 이렇게 해서 3개 기준선이 있고, 이것들은 프로젝트 관리계획에 포함되어 감시 및 통제 프로세스 그룹의 통제 프로세스들에서 기준 대비 실적의 성과 측정 시 주로 기준으로 들어가게 된다.

105 정답 ②

작업의 구성요소를 산정하는 방법이며, 개별 활동 단위를 산정하고 작업 패키지의 상세 수준에서 산정한다. 상향식 산정(Bottom-up estimating)의 원가와 정확성은 개개 활동이나 작업 패키지의 규모와 복잡성에 의해 대표적으로 영향을 미친다. 장점은 정확도가 높고 프로젝트의 작업에 대한 상세분석과 원가 통제의 기준을 제시해준다. 단점은 시간과 비용과 비용이 많이 들고 팀 간에 중복 상정이 발생할 가능성이 높다.

106 정답 ③

자금 한도 조정(Funding limit reconciliation)은 프로젝트 자금을 집행할 때 자금 한도에 맞춰 지출을 조정한다. 자금 한도 조정을 잘못하면 자금 한도와 예정 지출 차이로 작업 일정 조정 필요성이 발생할 수도 있다. 적시에 집행하는 자금 관리능력도 기업의 경쟁력이다.

107 정답 ③

108 정답 ②

임의적 의존성(Discretionary dependencies)은 반드시 따르는 것은 아니지만, 선호하는 의존성으로 과거 경험의 Best practice를 기반으로 추천하는 의존관계이다.

109 정답 ②

변경통제 위원회 또는 Change control meeting이라고도 한다. 승인된 변경은 실행에서 실시하고 프로젝트관리 계획과 문서 등을 갱신하게 된다. 거부된 요청사항은 Change log file에 담겨 보관하게 된다.

110 정답 ①

부정적 리스크에 대한 대응 방법으로 회피(Avoid)는 리스크를 완전히 제거하기 위해 프로젝트 관리 계획서를 변경하는 조치를 포함(일정 연장, 전략 변경 또는 범위 축소)한다. 가장 극단적인 회피 전략은 프로젝트를 완전히 중단하는 것이다. 프로젝트 초기에 발생하는 일부 리스크는 요구사항의 명확한 규명, 정보의 입수, 의사소통 개선 또는 전문가 확보를 통해 회피한다.

111 정답 ①

선도 및 지연시간(Lead and lag)은 논리적 의존관계에서 후행 공정을 선행공정과 연결 시 선도(Lead), 또는 지연시간(Lag)의 설정이 필요할 수 있다. 만일 FS - 3으로 표현한다면 후행 활동을 3일 당겨서 시작한다는 것으로 표현될 수 있다. 즉 현재 활동이 끝나기 3일 전에 후행 공정이 앞당겨서 시작됨을 의미한다. 거꾸로 FS+3은 후행 공정이 선행 공정이 끝나고 3일 후에 시작됨을 나타낸다. 일반적으로 지연은 건설에서 시멘트의 숙성 시간을 고려한다든지, 제빵에서 빵이 숙성된 다음 빵을 굽는 등 어느 정도 시간을 기다릴 필요가 있을 때 표현된다.

112 정답 ④

프로젝트 일정은 당연히 처음부터 프로젝트의 수행 주체인 프로젝트팀에서 만들어진다. 프로젝트 관리자와 팀원이 같이 개발하고 완성으로 하고 주기적으로 갱신한다.

113 정답 ③

Slack, Total float, Float는 전체 프로젝트 기간을 지연시키지 않고 단위 활동이 가질 수 있는 여유 기간이며, 반면에 Free float는 후속 공정 시작일을 지연시키지 않고 가질 수 있는 여유 기간이다.

114 정답 ①

주 공정 경로(CP)는 기간이 가장 긴 경로를 말한다.

A-B-D-F= 4+7+6= 17

A-B-D-E-F= 4+7+2+2= 15

A-C-E-F= 5+4+2= 11

A-C-D-E-F= 5+2+2+2= 11

115 정답 ④

116 정답 ②

117 정답 ①

118 정답 ③

119 정답 ④

120 정답 ①

121 정답 ②

122 정답 ①

산점도는 두 변수와의 관계를 나타낸 것이다. 상관관계 분석으로 양의 상관관계, 음의 상관관계 및 서로 상관관계 없음 등 다양한 방식으로 2가지 변수와의 상관관계를 표현한다.

123 정답 ③

124 정답 ③

125 정답 ②

프로젝트 상황에서 문제는 많이 발생한다. 관리자는 문제에 대해 먼저 관리하는 자원으로 해결 후 관련 내용을 고객에게 통보하고 자원 관리자에게 알리고 필요시 도움을 요청한다.
자원 관리자는 기능 부서장인 경우가 많다. 다른 방법으로는 PM이 도움을 PMO에게 요청할 수도 있다.

126 정답 ②

WBS(Work breakdown structure), 일정 개발은 주로 프로젝트팀원들에 의해 만들어지고, 자원 부분은 일정 관리의 한 부분이다. 핵심 이해관계자로부터는 프로젝트의 제약사항 및 제품 산출물에 대한 부분을 결정한다.

127 정답 ④

팀원의 역할과 책임은 RAM(Role assignment matrix)에 포함이 되어있다.

128 정답 ④

129 정답 ②

제품을 제조하는 것은 지속적인 프로세스이다. 그것은 프로젝트가 아닌 운영 작업이다. 그러므로 제조팀은 프로젝트 헌장을 만드는 이유를 모르는 것이고 어려움을 겪고 있다.

130 정답 ①

131 정답 ④

132 정답 ③

133 정답 ③

성공 기준이 포함되어 있는 것은 프로젝트 헌장이다.

134 정답 ④

작업별 완료 방법 등은 계획서에 일반적으로 준비가 되지 프로젝트 관리자가 일일이 제공하는 것은 아니다.

135 정답 ②

이해관계자들을 식별이 다른 부분보다 우선한다. 프로젝트 헌장 만들기와 이해관계자 식별이 착수 프로세스 그룹에 속해있는 이유이기도 하다.

136 정답 ②

프로젝트 일정이 완성되어야 예산을 확정할 수 있다. 일정은 범위 관리의 범위 기준선이 확정되어야 추정이 가능하다. 그래서 일정 관리의 활동 정의에 입력물로 들어가는 것이 WBS(Work breakdown structure)를 포함한 범위 기준선이다.

137 정답 ④

138 정답 ④

지식 데이터는 그때그때 프로젝트 생애주기 동안 시점에 맞게 데이터베이스에 저장하여야 한다.

139 정답 ③

140 정답 ④

141 정답 ①

142 정답 ④

143 정답 ④

종료 프로세스에서 모든 교훈 사항이 정리되고 종료되어야 한다. 종료 프로세스가 끝나고 교훈 사항을 정리하는 것이 아니다.

144 정답 ③

145 정답 ①

프로젝트 관리는 통합이 제일 중요하다. 의사소통이 통합에서 중요한 이유도 여기에 있다.

146 정답 ①

초기 제약사항은 프로젝트 헌장에 담겨있다.

147 정답 ①

프로젝트 관리자는 변경에서도 비공식적인 변경을 막고 공식적인 변경 절차를 유지토록 하여야 하고, 변경 요청이 오면 변경에 따른 영향을 분석하고 이에 대한 대안을 분석하여야 한다. 변경은 정식변경 절차를 밟아야 한다. Scope creep을 방지하고 변경된 승인만 실행토록 하여야 한다.

148 정답 ②

스폰서는 프로젝트 헌장을 승인하고 그 이후에 변경할 건지에 대해 결정한다. 주로 프로젝트 헌장의 변경과 관련하여서는 프로젝트 타당성 검토와 관련하여 이루어진다. 단계별 비즈니스 필요에 대한 검토가 이루어지면 다음 단계로 진행할 건지 아니면 프로젝트를 수정 또는 취소할 건지는 스폰서가 결정하게 된다. 차터에 대해서는 스폰서가 대부분 책임과 권한을 가지고 있다.

149 정답 ④

150 정답 ④

문제 풀이를 위한 양식 [4회 1~100]

1		26		51		76	
2		27		52		77	
3		28		53		78	
4		29		54		79	
5		30		55		80	
6		31		56		81	
7		32		57		82	
8		33		58		83	
9		34		59		84	
10		35		60		85	
11		36		61		86	
12		37		62		87	
13		38		63		88	
14		39		64		89	
15		40		65		90	
16		41		66		91	
17		42		67		92	
18		43		68		93	
19		44		69		94	
20		45		70		95	
21		46		71		96	
22		47		72		97	
23		48		73		98	
24		49		74		99	
25		50		75		100	

문제 풀이를 위한 양식 [4회 101~150]

				MEMO
101		126		
102		127		
103		128		
104		129		
105		130		
106		131		
107		132		
108		133		
109		134		
110		135		
111		136		
112		137		
113		138		
114		139		
115		140		
116		141		
117		142		
118		143		
119		144		
120		145		
121		146		
122		147		
123		148		
124		149		
125		150		

2

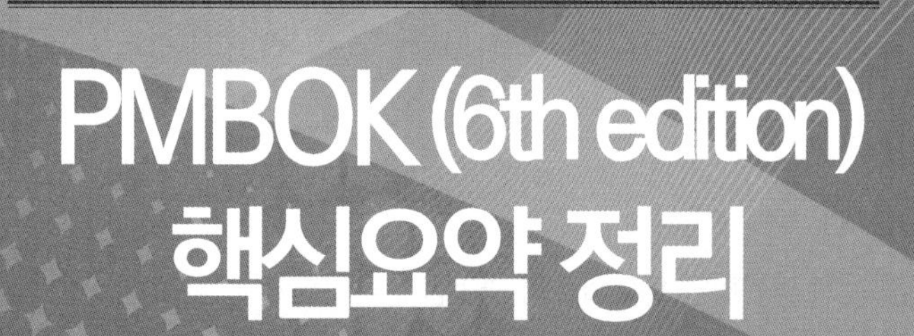

PMBOK (6th edition) 핵심요약 정리

핵심요소 흐름정리

1. 인도물 기본 flow
2. 인도물 승인 flow
3. 작업성과보고 (Work performance reports) flow
4. WPD~WPI flow
5. WPI~WPR flow
6. 변경요청 발생 flow
7. 변경요청 승인 flow
8. 요구사항의 전체 flow(착수단계의 개략적 요구사항~기획단계의 요구사항)
9. WBS(Work breakdown structure) flow(착수~ WBS)
10. WBS(Work breakdown structure) flow(착수~WBS~활동)
11. WBS(Work breakdown structure) making flow
12. WBS~Activity flow
13. 자원(Resource) flow
14. 품질관리 Process flow
15. 품질통제 Process flow
16. 품질통제와 범위확인 프로세스의 차이점
17. 인도물 Basic flow view
18. 품질관리 Process flow(Deliverables inspection view)
19. Risk 식별~대응계획 flow
20. Risk 대응 예비비 및 예산
21. Risk 용어(발생 상황별)
22. 조달관리 Basic flow

1. 인도물 기본 flow - 통합관리

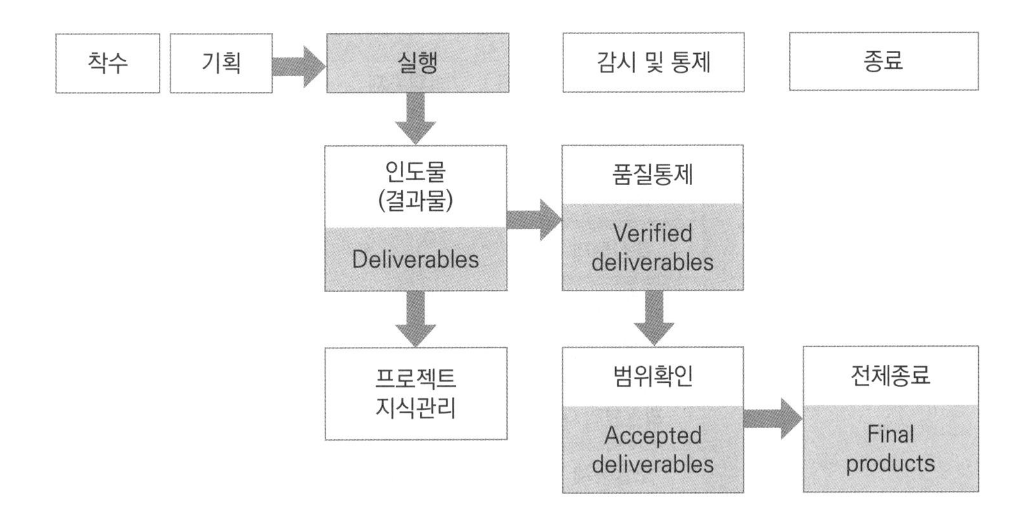

2. 인도물의 승인 flow - 통합관리

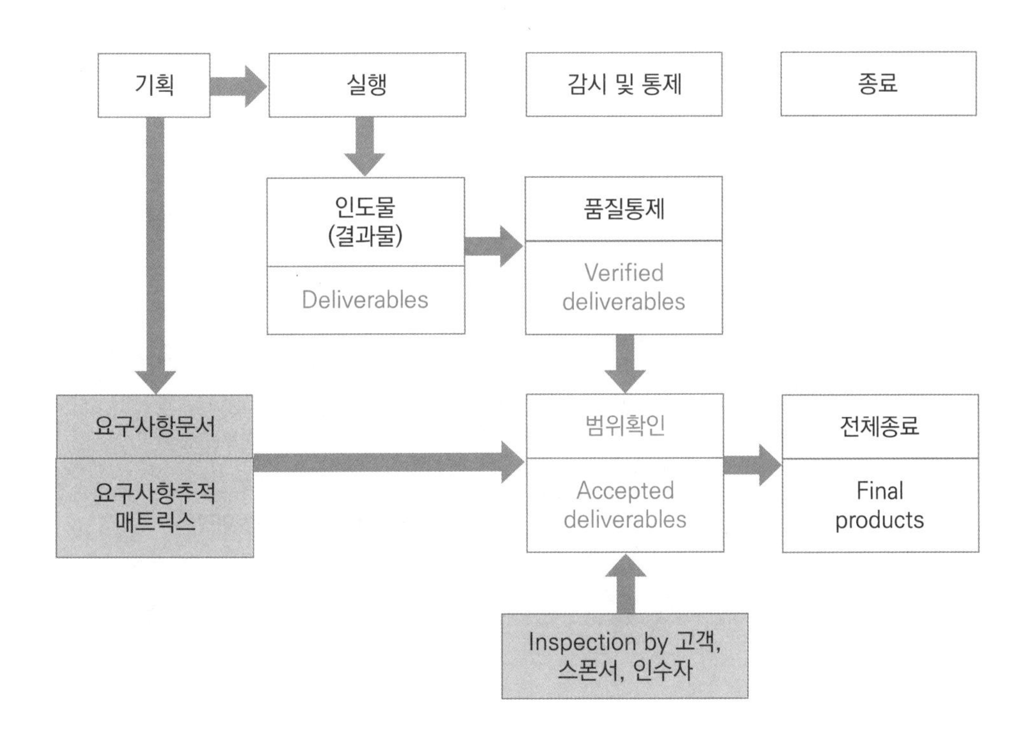

3. 작업성과보고서(Work performance reports) flow – 감시 및 통제

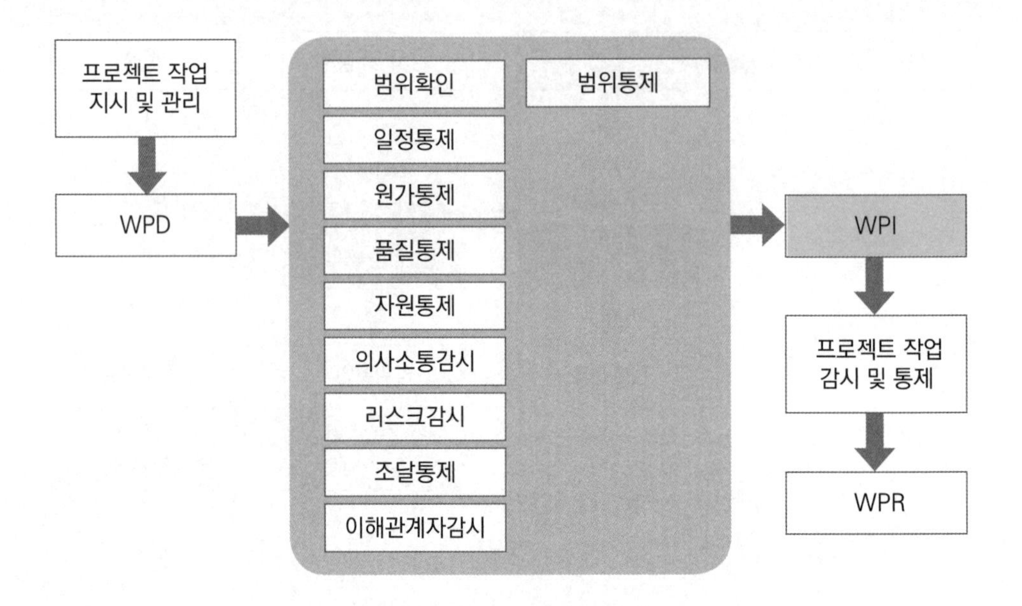

4. WPD~WPI flow – 전체정보관리

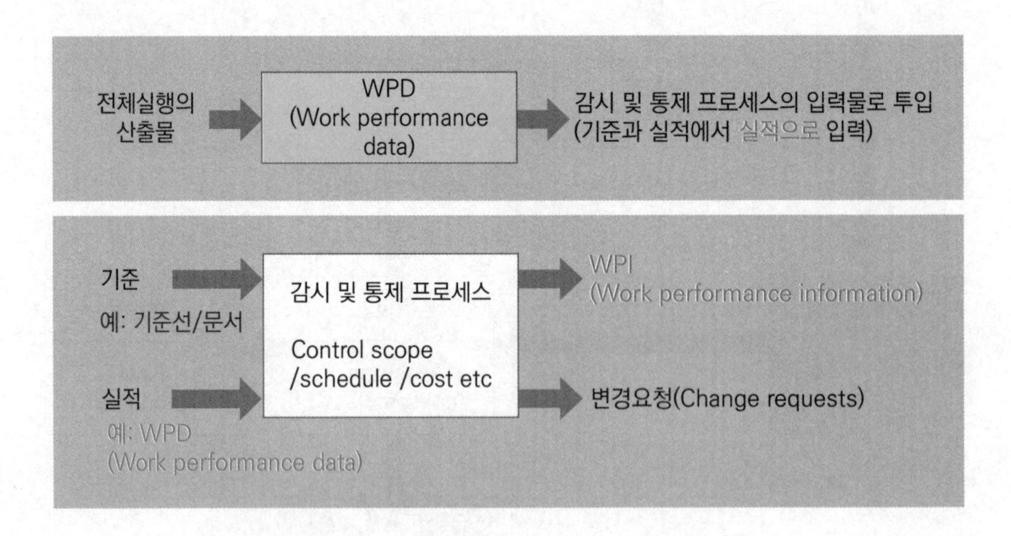

5. WPI~WPR flow – 전체정보관리

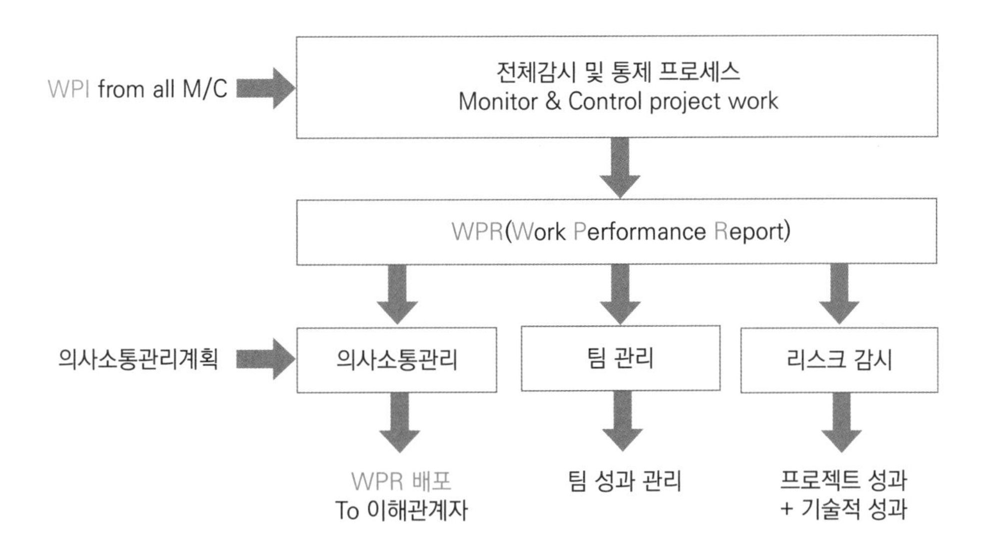

6. 변경요청 발생 flow – 통합관리

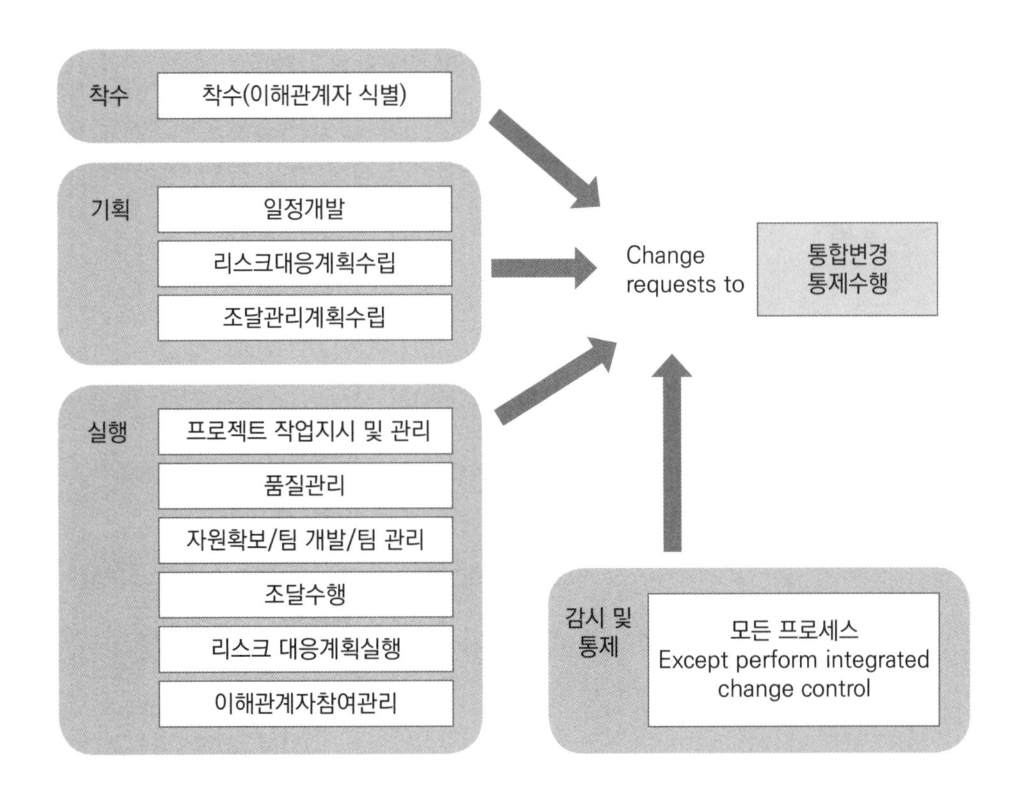

7. 변경요청의 승인 flow - 통합관리

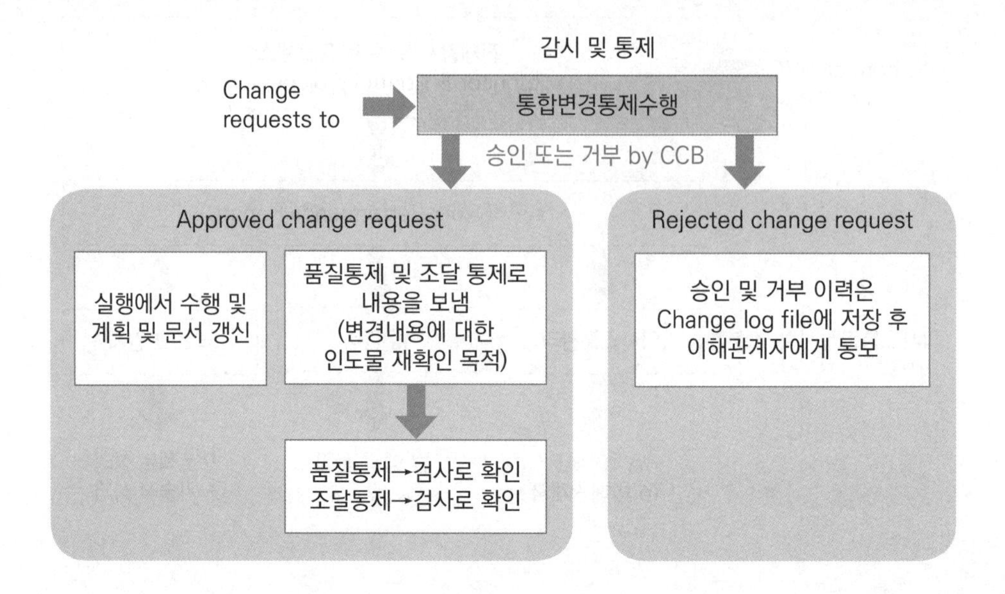

8. 요구사항의 전체 flow(착수단계의 개략적 요구사항~기획단계의 요구사항)

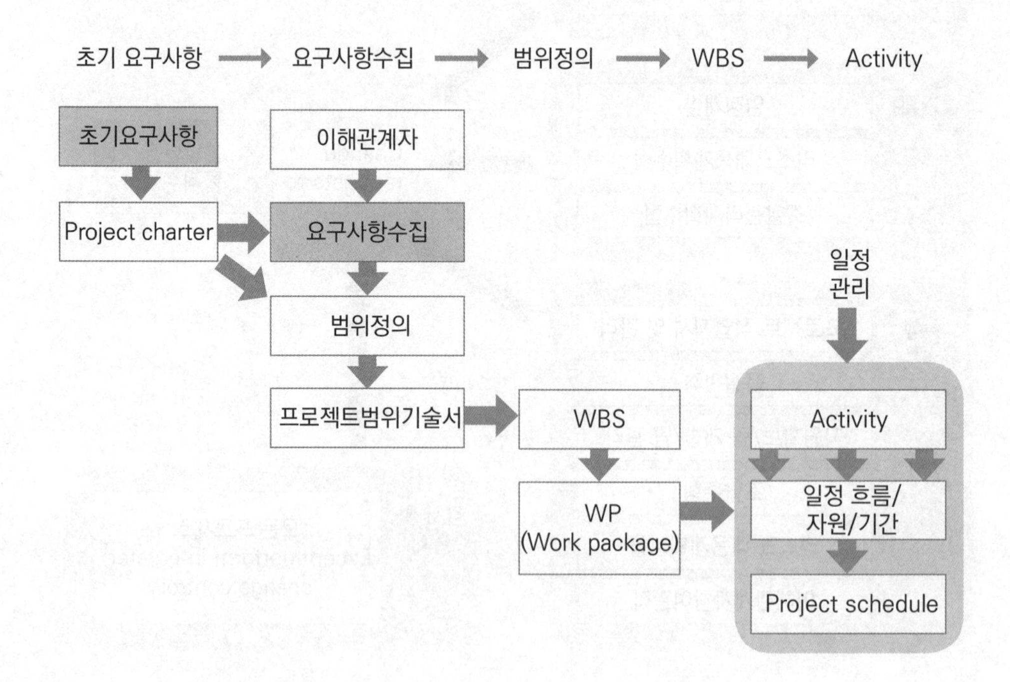

9. WBS(Work breakdown structure) flow(착수~WBS)

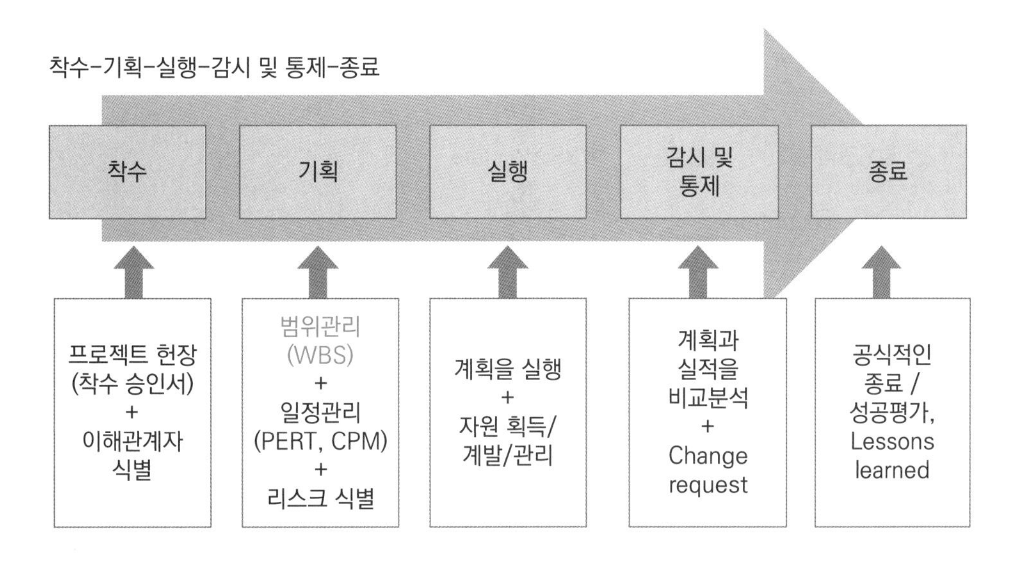

10. WBS(Work breakdown structure) flow(착수~WBS~활동)

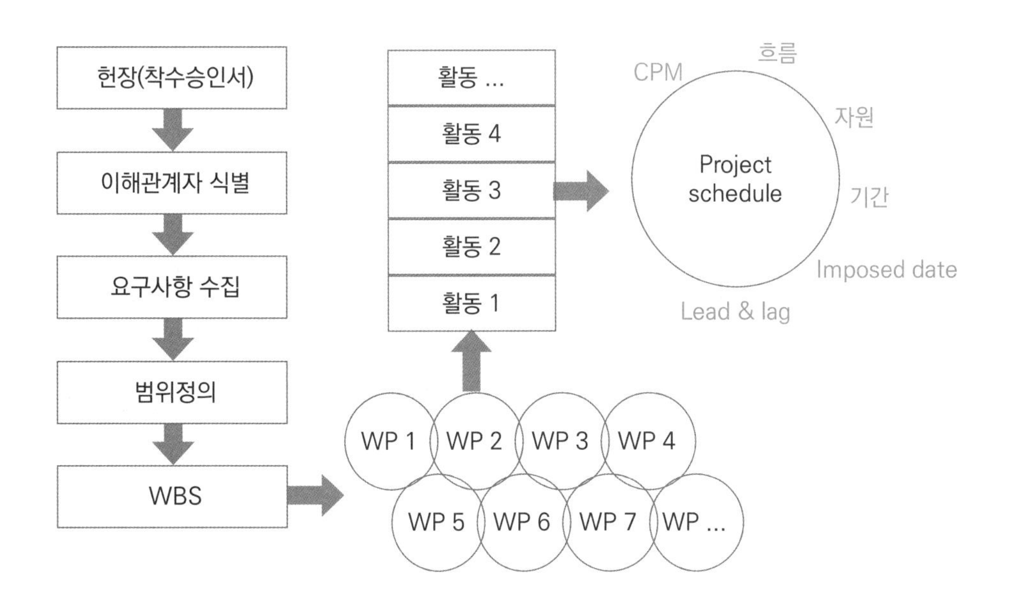

11. WBS(Work breakdown structure) making flow

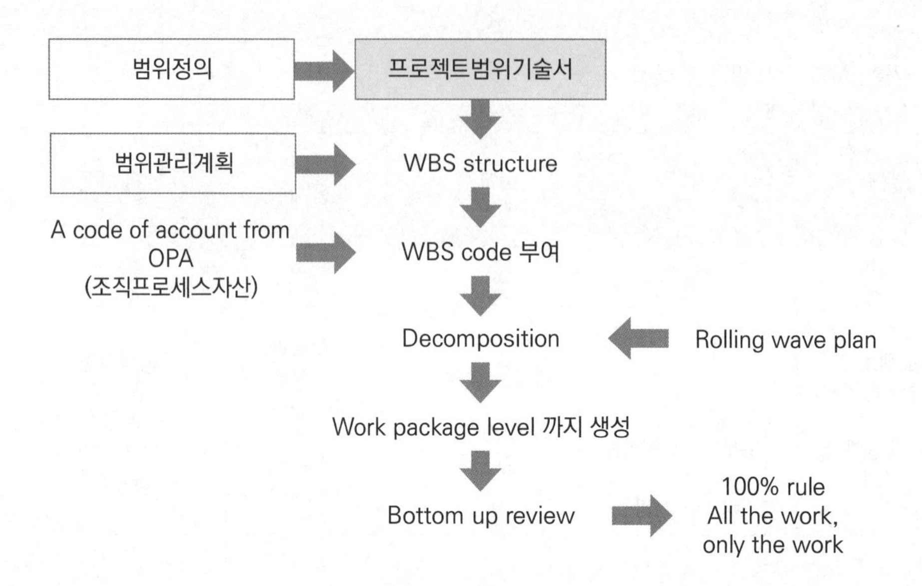

12. WBS~Activity flow

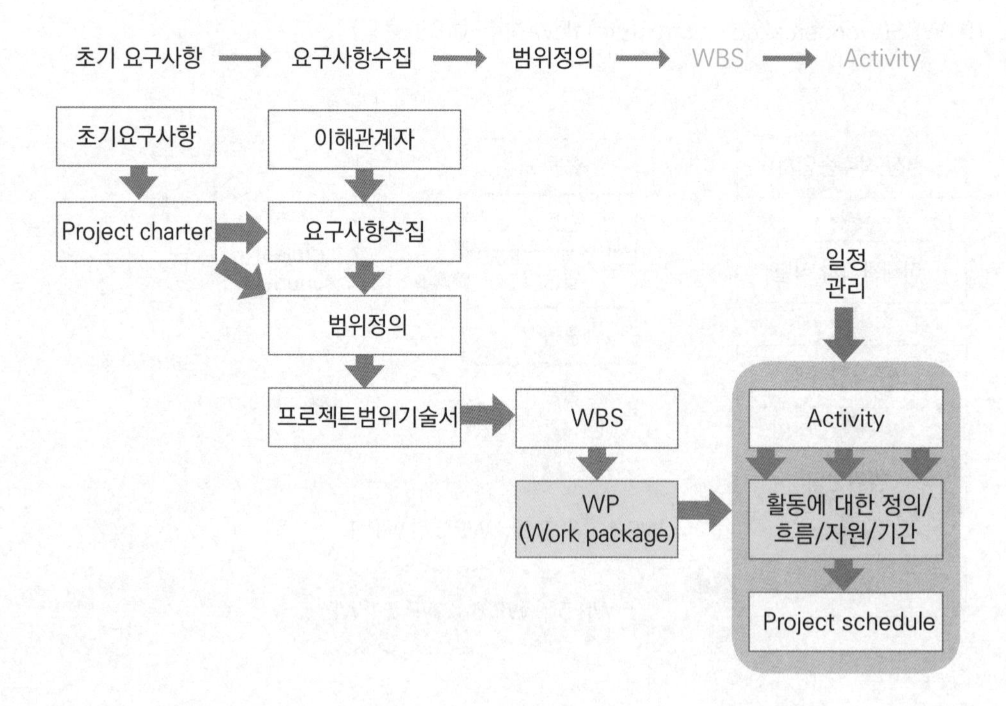

13. 자원(Resource) flow

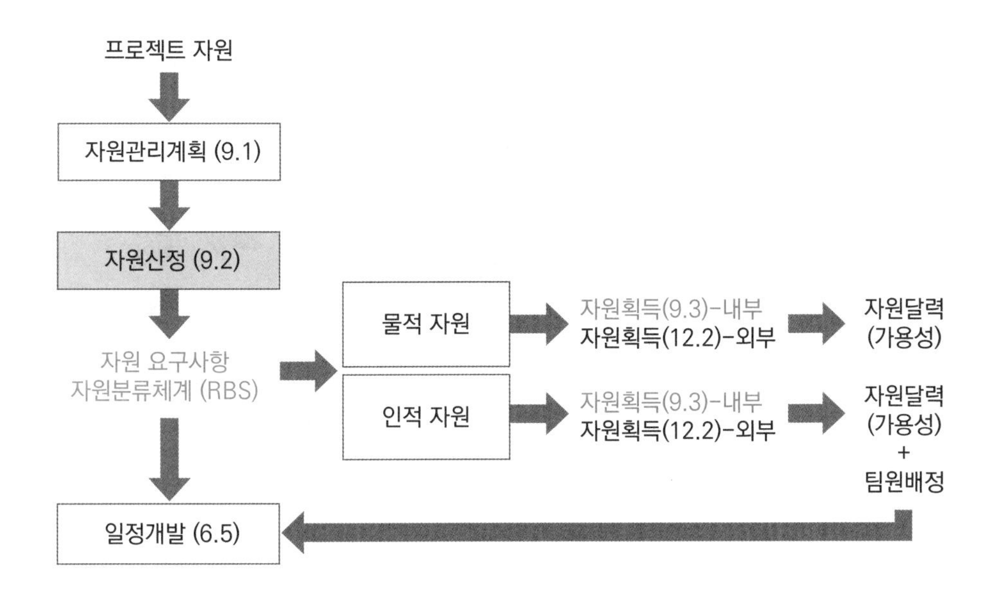

14. 품질관리 Process flow

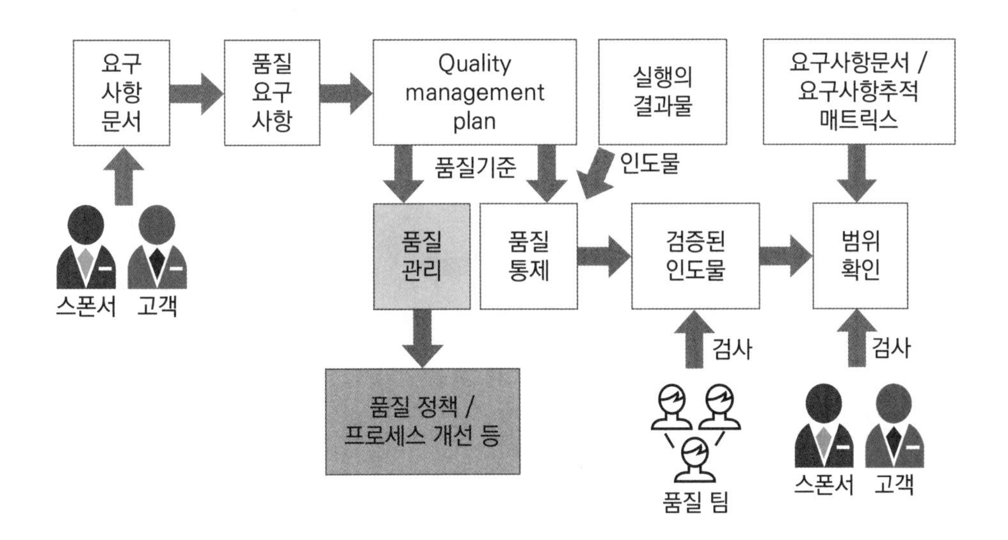

15. 품질통제 process flow

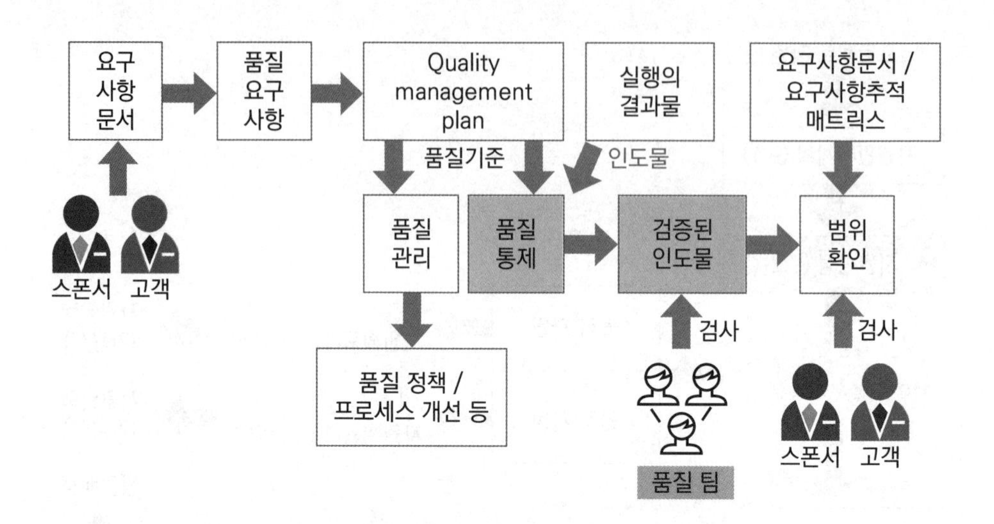

16. 품질통제와 범위확인 프로세스의 차이점

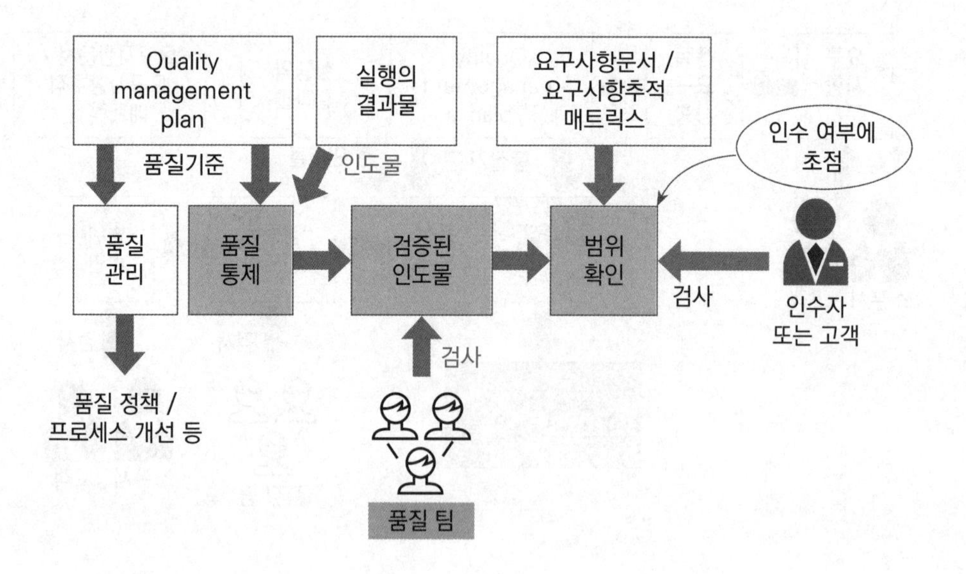

17. 인도물 basic flow view

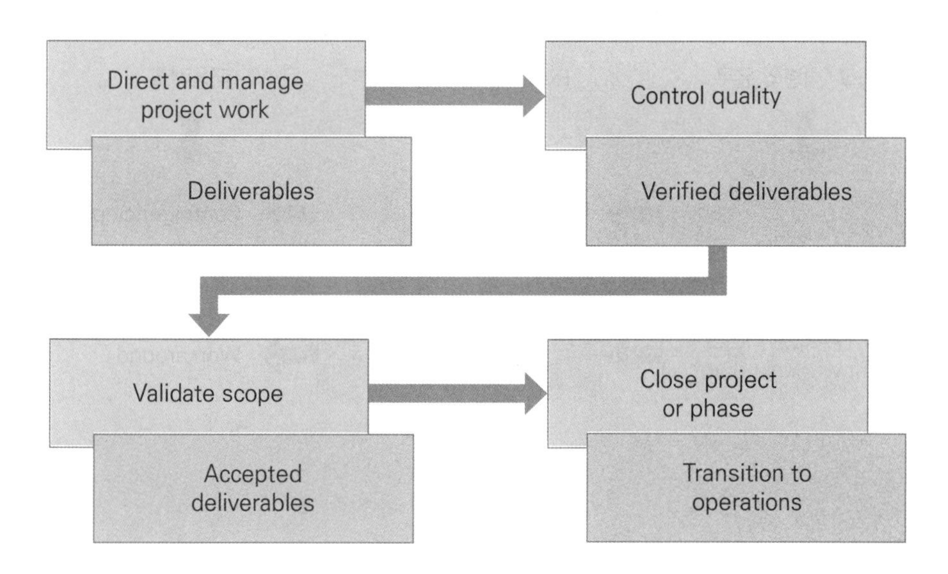

18. 품질관리 process flow(Deliverables inspection view) - 품질관리지식영역

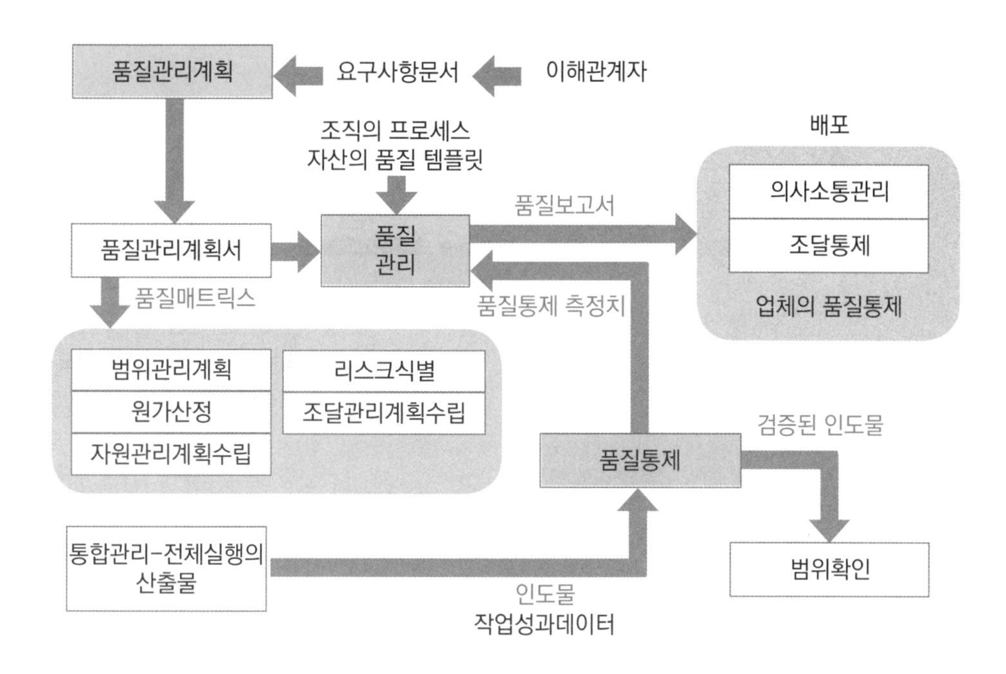

19. Risk 식별~대응계획 flow

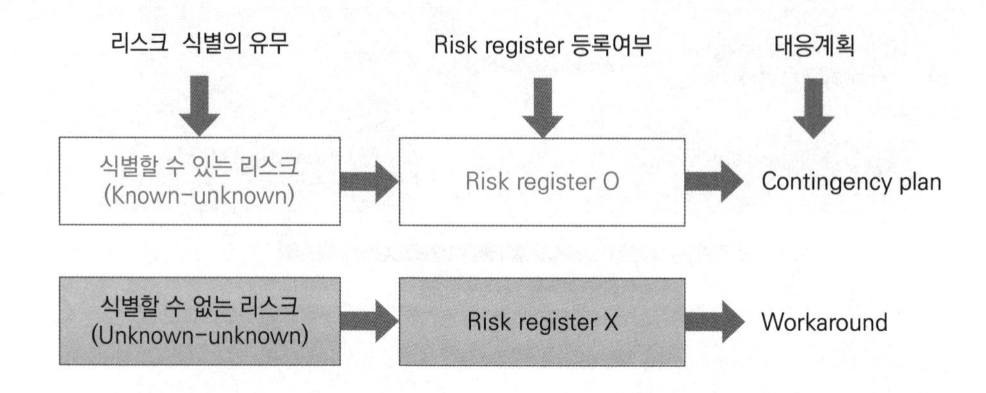

20. Risk 대응 예비비 및 예산

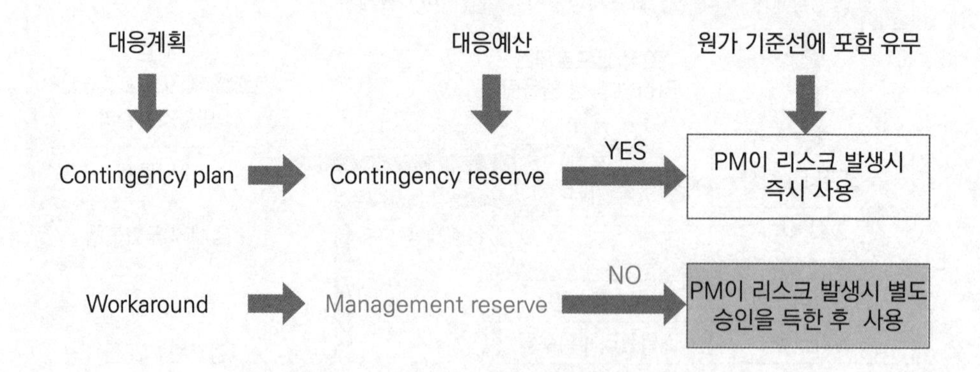

21. Risk 용어(발생 상황별)

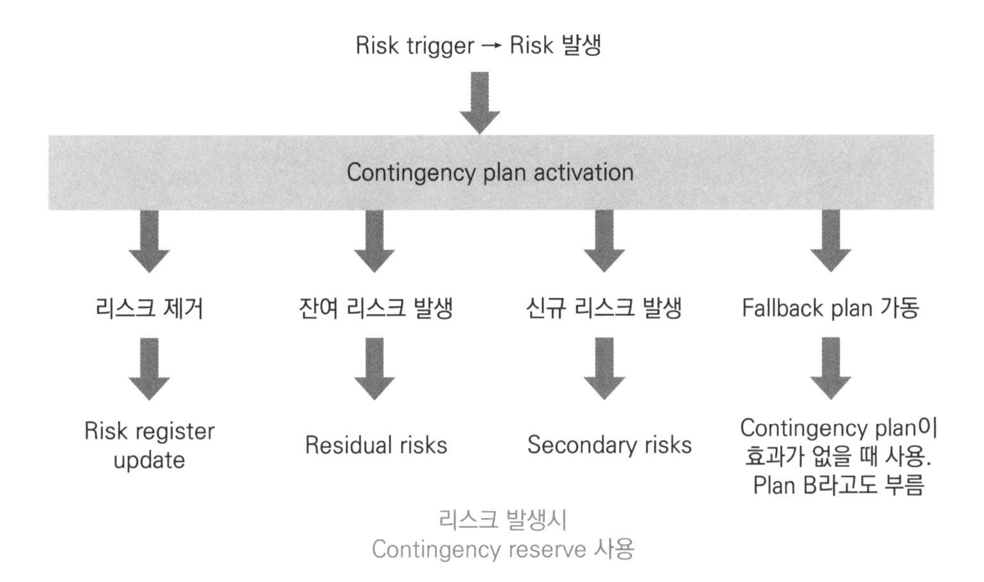

22. 조달관리 basic flow

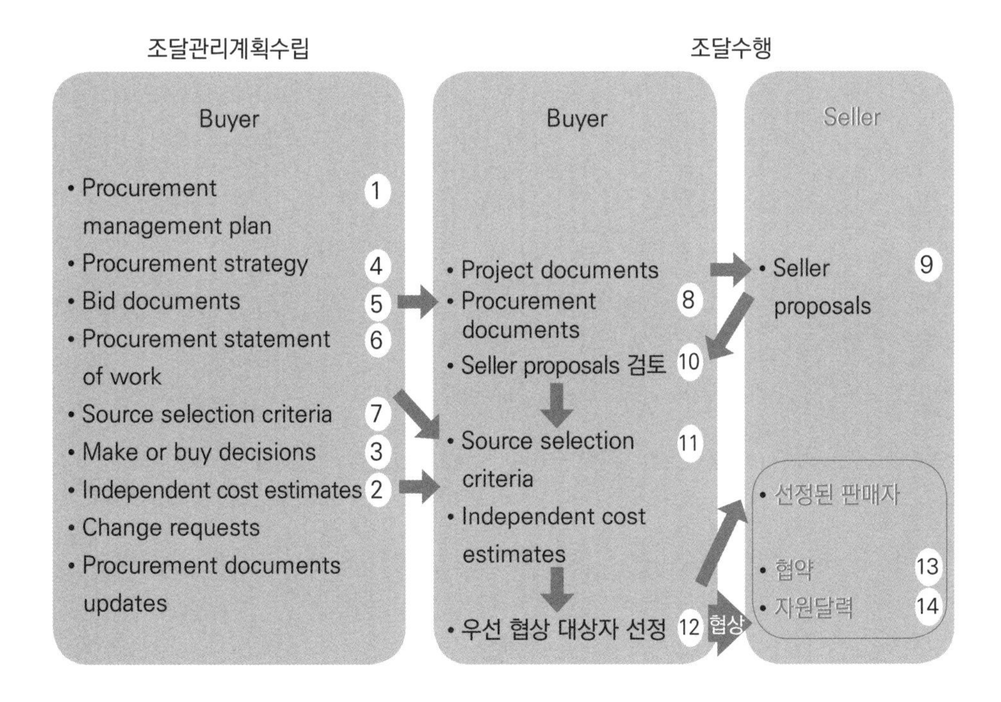

CAPM Power 실전문제 600

발행일 2019년 2월 1일

지은이 이두표
펴낸이 박승합
펴낸곳 노드미디어

총괄 박효서
편집 김은미
디자인 김은미

주소 서울시 용산구 한강대로 341 대한빌딩 206호
전화 02-754-1867
팩스 02-753-1867
이메일 nodemedia@daum.net
홈페이지 www.enodemedia.co.kr

등록번호 제302-2008-000043호

ISBN 978-89-8458-324-5
정가 25,000원